Christina G. Rossetti.

Christina Georgiana Rossetti(1926), CHRISTINA GEORGIANA ROSSETTI 1830–1894, London: E. Benn ltd.

Still Classics 1

나는 크리스티나 로세티입니다

크리스티나 로세티

외국시

김군 옮김

일러두기

본문의 각주는 모두 옮긴이 주이다.

Poesis thesaurus mentis nostrae est.

시는 우리 마음의 보물

차례

프롤로그 Prologue 9

작가소개 Biographical Introduction 11

시

고블린 시장 23

꿈에 그리던 땅 61

내 그리운 집에서 64

생일 67

기억해 줘요 69

아내가 남편에게 71

나 죽거든, 내 사랑아 74

세상 76

바다에 잠들다 78

아모르 문디 84

내가 잊어야 할까? 87
사라지고 지나가면 88
오르막 91

Poems

Goblin Market 95
Dream Land 129
At Home 132
A Birthday 135
Remember 137
Wife to Husband 138
When I am dead, my dearest 141
The World 143
Sleep at Sea 144
Amor Mundi 150
Shall I Forget? 153
Passing Away 154
Uphill 156

나는 크리스티나 로세티입니다 161

시스맨스Sismance 182

에필로그 Epilogue 188

옮긴이의 말 Postscript 191

스틸 클래식 Still Classics 195

프롤로그

Prologue

예술과 문학은 남자의 세계로 인식되던 시대였다. 브론테 자매The Brontë Sisters는 남자 이름으로 그들의 첫 책 『시집POEM』을 냈고, 메리 앤 에반스M. A. Evans 역시 조지 엘리엇이라는 필명을 쓸 수 밖에 없었다. 그들의 힘든 시기가 지나고 사정은 나아졌지만, 여전히 여성이 자신의 문학적 창조성을 발휘하는 데는 쉽지 않은 시대였다. 그럼에도 당당히 자신의 시적 재능을 펼쳐 영미 문학계를 놀라게 한 사람이 있었으니, 그 사람의 이름은 엘리자베스 배럿 브라우닝*이었다. 이 훌륭한 시인이자 용감한 여인의 뒤를 잇는 사람이라며 다시 한 번 문학계를 일깨운 사람이 있었으니, 그가 크리스티나 로세티다. "I am Christina Rossetti." 시인이라는 자신의 정체성을 당당히 드러낸 크리스티나의 이 선언을 소개한 버지니아 울프는 우리를 그녀에게로 그리고 그녀의 시로 초대한다.

* Elizabeth Barrett Browning은 6살 연하의 무명 시인과의 사랑과 결혼을 위해 가족, 부, 영예 모두를 포기했다. 사후에 재평가받아 이름을 날린 로버트 브라우닝Robert Browning이 바로 그 무명 시인의 이름이다.

작가 소개

Biographical introduction

I

이탈리아 중부 지방 아부르쪼 내 서부에 있는 코무네 바스토에서 정치적 이유로 영국으로 망명한 시인이자 단테 알리기에리 연구자인 가브리엘레 파스쿠알레 주세페 로세티Gabrielle Pasquale Giussepe Rossetti와 이탈리아계 영국인 집안 출신의 프랜시스 메리 라비니아 폴리도리Frances Mary Lavinia Polidori는 결혼해서 딸 둘과 아들 둘을 낳았다. 단테이 게이브리얼(Gabriel Charles Dante 그러나 Dante Gabriel로 더 잘 알려져 있다), 마리아 프란체스카Maria Francesca, 윌리엄 마이클William Michael 그리고 막내 크리스티나 조지나가 그들이었다. 크리스티나는 1830년 12월 5일, 런던에 있는 샬럿 스트리트 38번지에서 태어났다. 샬럿 스트리트 38번지는 현재 핼럼 스트리트 110번지다.

잉글랜드 교회Church of England 내부에서 가톨릭 유산(교리 일부와 예배 방식 등)의 회복과 냉담한 신앙을 쇄신하는 데에 힘쓴 옥스퍼드 운동Oxford Movement이라는 큰바람이 일었다. 로세티 가족이 출석하던 그리스도 교회Christ Church는 런던에서 그 운동에 가장 큰 영향을 받은 곳이었다. 마리아와 크리스티나는 이곳에서 열심히 그리스도교 신앙을 다졌다. 그리고 그 신앙은 두 자매의 삶에 큰 영향을 미쳤다. 올버니 스트리트에 있던 그리스도 교회는 현재 안티오키아 정교회의 성 조지 대성당이 되었다.

II

시인이자 알리기에리 단테 연구자인 남편 못지않게 프랜시스 역시 문학과 예술을 사랑하는 사람이었다. 시인이자 의사였던 그녀의 동생 존 윌리엄 폴리도리는 유명한 낭만파 시인인 바이런과 친구 사이였다.

로세티 가문은 문학적 소양을 중시하였다. 로세티 부부의 서재는 다양한 문학작품으로 채워져 있었다. 로세티 부부는 자녀들에게 문학작품 독서를 권장하는 것은 물론 글 쓰는 것도 장려했다. 크리스티나는 집에 있는 고전, 그리스도교 신앙 서적, 판타지, 장편 소설 등을 읽으며 문학적 소양과 감수성을 키웠다. 그녀는 존 키츠John Keats의 시를 즐겨 읽었다고 한다. 아버지의 영향으로 알리기에리 단테는 물론 다양한 이탈리아 작품을 접했고, 후일 크리스티나 역시 자연스레 자기 작품에 그 영향을 녹여냈다.

크리스티나의 큰 오빠인 단테이 게이브리얼은 라파엘 전파*를 함께 결성한 회원으로 그림은 물론 시로도 잘 알려져 있다. 윌리엄도 이 그룹에 곧 합류했다. 단테이 게이브리얼은 초기 작품인 「동정 마리아의 소녀 시절」(1849)과 「성모영보」(1850), 후기 작품 「페르세포네」

로 널리 알려져 있다. 「동정 마리아의 소녀 시절」에 등장한 성聖 앤 – 성모 마리아의 어머니 – 은 어머니 프랜시스를, 소녀 마리아는 동생 크리스티나를 모델로 해서 그린 그림이다.

단테이 게이브리얼은 크리스티나의 주요 시집 『고블린 시장Goblin Market and Other Poems』과 『왕자의 순례The Prince's Progress and Other Poems』의 시들을 읽고 조언하는 것은 물론 두 책의 출판까지 적극 도왔다. 그는 여동생의 시집 『고블린 시장』을 위한 판화 그림을 제공하기도 했다. 큰오빠는 막냇동생의 시적 재능을 늘 응원한 것은 물론 글 쓰는 일도 독려했다. 다만 그 응원과 독려가 지나쳐 종종 강요의 모습으로 나타났다.

* Pre-Raphaelites: 19세기 중엽 영국에서 일어난 예술 운동 그룹. 단테이 게이브리얼과 윌리엄 홀먼 헌트W. H. Hunt를 중심으로 1848년에 결성되었다. 라파엘로 이전의 르네상스 예술에서 영감을 받아 사실적이고 소박한 화풍을 지향했다. 이 그룹은 10년을 넘지 못하고 해체되었다.

언니 마리아 프란체스카 역시 에세이 작가로 활동했으나, 집안 재정 상황이 악화되자 가정교사governess로 일하다가 후일 잉글랜드 교회 소속 수도회인 모든 성인 수녀회의 수녀가 되었다. 죽는 순간까지 불가지론자인 오빠와 남동생이 신앙으로 마음을 돌리는 데 힘썼지만, 결과는 성공적이지 못했다.

둘째 오빠인 윌리엄 마이클도 형인 단테이 게이브리얼의 라파엘 전파에 합류할 정도로 예술과 문학에 조예가 깊었다. 공무원으로 일하면서도 그는 많은 비평과 전기를 남겼다. 윌리엄은 형 단테이 게이브리얼의 전기를 쓴 것은 물론 형의 문학적 성과를 모아 책으로 냈다. 동생 크리스티나 사후에 그녀의 시를 재정리해서 책으로 낸 것도 그였다. 윌리엄은 미국의 유명한 작가 월트 휘트먼Walt Whitman의 시를 영국에 처음으로 소개하기도 했다.

III

크리스티나는 어린 시절부터 글 쓰는 일에 관심이 많았고 또 글을 직접 썼다. 그녀는 어머니와 책 읽기를 정말 좋아하는 언니 앞에서 자신이 지은 글을 발표했고, 둘은 기꺼이 그녀의 글을 감상하였다. 17세가 되자 그녀는 자신의 작품 활동은 좀 더 개인적인 영역이라 판단하고, 두 사람 앞에서 하는 발표를 그만두었다. 그러나 크리스티나는 시 쓰는 일을 멈추지 않았다.

큰오빠 단테이 게이브리얼의 라파엘 전파 계간지 『기원The Germ』에 엘렌 엘런Ellen Alleyn이라는 가명으로 시를 싣기도 했다. 가명은 큰오빠가 만들어 낸 이름으로 크리스티나는 그다지 좋아하지 않았다고 한다. 이후 문학잡지에 시를 보내기도 했으나, 대체로 성공적이지 못했다. 그러나 그녀 자신도 자기 작품을 대중에게 공개하는 걸 그다지 반기지 않았다고 한다. 그렇지만 단테이 게이브리얼의 격려와 도움에 힘입어 1862년 크리스티나는 처음으로 시집 『고블린 시장』을 출간했고, 주목할 만한 호응을 얻었다. 유명한 여성 시인 엘리자베스 브라우닝이 죽은 1861년 이후 출간된 이 『고블린 시장』으로 크리스티나는 문학계의 호평을 받았고, 나아가 엘리자베스의 계승자가 되리라는 환호를 받았다.

4년 뒤 다시 큰오빠의 독려와 함께 『왕자의 순례』를 냈다. 안타깝게도 두 시집은 수익이라는 측면에서는 큰 성과를 거두지 못했다. 계속해서 단편 소설집과 동요 시집을 냈지만, 역시 큰 반향을 일으키지는 못했다. 당시 로세티 가족은 경제적 어려움에 부닥쳐 있었기에 크리스티나는 가족에게 조금이라도 힘이 되고 싶은 마음이 컸다.

1870년 후반부터 크리스티나는 그리스도교 신앙을 고취하는 시와 산문을 발표하기 시작했다. 시적 창의력이 다소 약화된 그녀는 이제 더는 자신의 신앙을 비유와 상징으로 시 안에서 조용하게 드러내는 것이 아니라, 담담하게 그러나 수려한 문장과 시구로 소리 내 표현한 것이다. 종교적 색채는 강했지만, 이전에 발표한 작품들에 비해 반응이 좋아 많은 이들에게 읽혔다.

크리스티나의 시는 버지니아 울프나 제라드 맨리 홉

킨스*와 같은 영국 문학의 굵직한 인재들에게 큰 영향을 미쳤다. J. K. 롤링의 초기 소설인 『쿠쿠스 콜링The Cuckoo's Calling』이라는 제목은 크리스티나의 시에서 따온 제목이다.

IV

1872년, 크리스티나는 그레이브스 병Graves' disease(갑상샘 항진증의 대표적인 질환)에 걸렸다가 회복한 이래로 몸이 계속 좋지 않았다. 이 병으로 그녀는 거의 죽을 뻔했다고 한다. 1892년 초에는 유방암에 걸렸다. 다음 해에 종양을 제거했지만, 1894년 9월에 병이 재발했

* Gerard Manley Hopkins: 시인, 가톨릭 사제. 옥스퍼드 대학 시절 고전을 공부하며 시 창작에 몰두했다. 졸업 후 예수회에 들어가 사제가 되었다. 독자적인 운율과 대담한 어휘와 어법으로 미의 추구, 신앙, 내적 갈등 등을 시로 노래했다. 홉킨스의 시는 그가 세상을 떠난 뒤 친구 로버트 브리지스R. S. Bridges에 의해 출판되어 본격적으로 알려져 젊은 시인들에게 커다란 영향을 주었다. T. S. 엘리엇은 홉킨스의 시에 큰 자극을 받았다고 한다.

다. 크리스티나 로세티는 1894년 12월 29일, 마침내 이곳을 떠나 그녀가 그렇게 바라 마지않던 저곳으로 갔다.

크리스티나는 시를 창작하는 일에 집중하면서도, 그리스도교 신앙에 따른 삶을 지키고자 검은 옷을 즐겨 입고 치장하는 데에 수고를 들이지 않았다. 당시 여성들의 사교 모임 등에도 소극적이었고 주로 집에 머물렀다. 그녀의 이러한 면모는 에밀리 디킨슨을 연상시킨다.

그렇다고 크리스티나가 그저 시 창작과 내적 신앙생활에만 집중한 사람은 아니었다. 1850년대 초반, 그리스도 교회는 불우한 여성들을 보호하고 재활을 돕는 기관 및 쉼터와 교류하기 시작했다. 크리스티나는 런던 내 위치한 그와 같은 쉼터 한 곳에서 1859년까지 적극적으로 자원봉사 활동을 했다. 더불어 미성년자를 이용해 노동 착취하는 행태를 반대한다고 표명하기도 했다. 이외에도 그녀는 미국 남부의 노예제도에 대해서도 반대한다는 뜻을 밝혔다. 동물 애호가인 크리스티나는 동물이 무분별하게 실험에 이용되는 데에도 유감을 표했다.

시는 전부 말해주지 않는다. 그리고 그 남겨진 미스터리가 우리에게 감동을 준다.

독자에게 감동을 주는 이 미스터리는 시인이 작품 전반에 교묘하게 펼쳐 놓은 주제 의식일 수도, 시어나 시 자체가 가진 글의 아름다움일 수도 있다. 나아가 시인마저도 예상하지 못한 독자가 찾은 무언가가 그 감동의 바탕일 수도 있다. 크리스티나는 그리스도교 신앙의 미스터리라는 큰 테두리 안에서 많은 소재를 가지고 다양한 주제를 시라는 문학적 틀로 표현하려고 노력했다. 그러나 그녀의 시가 주는 감동 나아가 영감은 그 어디에도 갇혀 있지 않다. 버지니아 울프 같은 작가가 크리스티나의 시를 읽고 감동과 영감을 받았다는 사실을 기억해 보자. 오늘날 빅토리아 시대의 문학과 당시 여성 작가를 연구하는 많은 이들 중심에 크리스티나와 그녀의 시가 있다.

시

고블린 시장

아침에도 저녁에도
소녀들은 고블린이 외치는 소리를 들었답니다
"이리 와서 우리 과수원 과일 좀 사세요,
사러 와요, 사러 와요,
사과도 있고 마르멜로도 있어요,
레몬도 있고 오렌지도 있어요,
토실토실 새가 쪼아먹지 않은 체리도 있어요,
멜론도 있고 라즈베리도 있어요,
때깔 좋고 껍질 솜털도 고운 복숭아도,
거무스름 꼭지가 돋보이는 오디도,
야생에서 자란 크랜베리도,
야생 사과도, 듀베리도,
파인애플도, 블랙베리도,
살구도, 딸기도 있지요

모두 모두 잘 익은 과일들

따뜻한 여름날에 말입니다,

어느새 아침은 지나고,

아름다운 저녁은 눈 깜짝할 새 날아갑니다

사러 와요, 사러 와요

포도나무에서 갓 딴 포도도,

속이 꽉 차고 보기에도 좋은 석류도,

대추도 톡 쏘는 맛이 일품인 벌리스도,

진귀한 배도 녹색 자두도,

인스티티아 자두도 빌베리도,

자 모든 걸 맛보세요 아니면 이런 것도 먹어 봐요

커런트도 구스베리도,

환하게 타는 불같이 붉은 바베리도,

여러분의 입을 가득 채울 무화과도,

남쪽 지방에서 온 시트론도 있어요,

혀끝엔 달고 눈에는 싱싱하고 흠 없는 과일,

사러 와요, 사러 와요”

저녁마다

개울가 골풀 사이에서

로라는 고블린이 외치는 소리를 들으려고 머리를 숙였답니다,

리지는 빨개진 얼굴을 가리느라 애썼지요

서로 가까이 쭈그리고 앉은 채

서늘한 날이었기에,

팔로 서로 세게 부둥켜안고 입술은 앙다물었답니다,

볼과 손끝은 얼얼했습니다.

“더 숙여,” 로라는 말했어요,

금빛 머리칼 곤두선 채로

“우린 말야 고블린들을 절대 보면 안 돼,

우린 말야 괴물이 파는 과일을 사면 안 된단 말야

고블린이 어떤 땅에 그 굶주리고 목마른 뿌리를

심어서 얻은 과일인지 누가 알아?”

“사러 와요,” 고블린이 부르는 소리

협곡 아래 천천히 움직이며 외치는 소리가 들립니다.

“오,” 리지가 소리쳤어요, “로라, 로라,

너 정말 고블린들을 훔쳐보면 안 돼."

리지는 로라의 눈을 가렸답니다,

고블린이 전혀 보이지 않게 완전히 가렸지요

로라는 윤기 빛나는 머리를 불쑥 들어 올렸습니다,

그리곤 쉼 없이 흐르는 개울처럼 속삭이기 시작했지요

"봐, 리지, 보란 말야, 리지 언니,

저 협곡 아래 저벅저벅 걷고 있는 조그마한 도깨비들 말야.

하나는 바구니를 끌고,

하나는 접시를 가져오고,

하나는 금빛 쟁반을 나르고 있어

과일로 가득해 아주 무거운.

정말 비옥한 포도밭에서 자랐을 거야

정말 탐스러운 포도가 난 밭일 테니까

정말 따뜻한 바람이 불 거야

저런 과일이 열리는 나무들이 있는 곳엔 말야."

"안 돼," 리지가 말했습니다, "안 돼, 그러지 마, 정말 그러면 안 돼

고블린이 파는 과일이 우리 마음을 사로잡게 놔둬선
안 돼,
악의 서린 그 과일이 우리를 해치고 말 거야."
리지는 손끝으로 옴폭 들어가게 양쪽 귀에
쑤욱 집어넣고는, 눈을 질끈 감고 뛰었습니다
호기심 가득한 로라는 머뭇거렸습니다
과일 파는 고블린 하나하나를 보며 감탄했지요.
고양이 수염 같은 털이 난 꼬리 가진 고블린,
시궁쥐 걸음으로 터벅터벅 걷는 고블린,
달팽이처럼 느릿느릿 걷는 고블린,
털 많고 둔하게 어슬렁거리는 웜뱃 같은 고블린,
허둥지둥 굴러떨어지는 벌꿀오소리 같은 고블린.
로라는 어떤 소리 꼭 비둘기가 내는 것 같은 소리를
들었답니다
비둘기 무리가 다 함께 구구구구하는 소리를
다정함 가득하고 상냥한 소리였답니다
아름답고 기분 좋은 날씨에 울려 퍼지는.

로라는 목이 환하게 드러날 정도로 고개를 들었답니다

골풀 사이에 자리 잡은 백조처럼,

시냇가에 핀 백합처럼,

달빛 머금은 포플러 나뭇가지처럼,

막 출항한 큰 배처럼

더는 지체할 수 없어 떠나버린.

이끼로 뒤덮인 협곡 위 뒤쪽으로

돌아서서 무리 지어 걷는 고블린들,

새된 목소리로 다시 외쳤답니다,

"사러 와요, 사러 와요."

로라가 있는 곳에 도착하자

고블린들은 이끼 덮인 땅에 과일을 든 채 가만히 서 있었습니다,

그러곤 서로 음흉하게 쳐다보았어요,

동지 괴상한 동지와 함께.

서로에게 신호를 보내면서

동지 교활한 동지와 함께.

바구니를 내려놓는 고블린,

쟁반을 들이미는 고블린

덩굴손, 나뭇잎, 거친 갈색 굳은열매로

왕관을 엮어 만들기 시작한 고블린

(어느 누구도 어디에서도 팔지 않는)

로라에게 건네줄 음식과 과일이 가득한

무거운 금빛 쟁반을 들어 올린 고블린

"사러 와요, 사러 와요," 고블린은 계속 소리쳤답니다.

로라는 그들을 빤히 쳐다보았으나 떨지는 않았어요,

간절히 원했지만, 돈이 없었어요

고양이 수염 같은 털 꼬리를 가진 고블린이 로라에게 과일을 맛보라고 권했습니다.

꿀처럼 부드러운 목소리로,

고양이 얼굴 고블린은 가르랑거렸습니다,

시궁쥐 걸음으로 걷던 고블린은 말을 건넸습니다

환영한다고, 그리고 달팽이처럼 걷던 고블린의 말도 들을 수 있었지요

앵무새 같은 목소리로 즐겁게 고블린 하나가 소리쳤

습니다

"귀여운 고블린," 역시나 "귀여운 앵무새"

새처럼 짹짹 지저귀는 고블린도 있었답니다.

단 것을 너무 좋아하는 로라는 성급히 말을 건넸습니다

"안녕하세요, 여러분, 돈이 없어서 어쩌지요

그냥 가져가는 건 훔치는 거잖아요

내 지갑엔 동전 하나 없답니다,

은화 한 개도 없어요,

내가 가진 거라곤 금빛 가시금작화 열매뿐이에요

바람이 많이 부는 날 흔들려

곰팡이 핀 헤더 덤불 위에 떨어진."

"네 머리 위에 금이 많구나,"

고블린 모두 다 함께 말했어요

"네 곱슬곱슬한 금빛 머리카락으로 우리 과일을 사려무나."

로라는 자신의 소중한 금빛 머리칼을 잘랐답니다,

로라는 진주보다 더 진귀한 눈물을 흘렸어요,
그리곤 먹음직스레 빠알간 고블린의 동그란 과일을
깨물고 과즙을 빨았습니다
바위에서 난 야생 꿀보다 달고,
사람을 기분 좋게 만드는 포도주보다 강렬하고,
과즙에서 나온 물보다 맑았지요
로라는 이런 맛을 느낀 적이 한 번도 없었답니다,
오래 지나도 누가 이런 과일에 질릴 수 있을까요?
로라는 빨고, 빨고, 또 빨아 먹었답니다
알려지지 않은 과수원에서 난 그 과일의 과즙을
입술이 아릴 때까지 로라는 계속 빨아 먹었습니다
그리곤 빈 과일 껍질을 휙 던져 버렸어요,
또 단단한 과일 씨 하나를 주워 모았지요,
그러다 밤인지 낮인지 알 수가 없었어요
로라는 혼자 집으로 돌아가는 내내.

리지는 대문에서 로라를 반겼어요
그리곤 슬기롭게 나무랐지요

"어여쁜 내 동생, 너무 늦게까지 밖에 있으면 안 돼,
우리에게 땅거미 지는 시간은 위험하단 말야
협곡 안을 어정거려서도 안 돼
거긴 고블린들이 자주 나타나는 곳이란 말야.
지니에 대한 일을 잊어버린 건 아니지,
어떻게 지니가 달빛 아래 고블린들을 만나,
고르기에도 많은 그 도깨비의 선물을 받았잖니,
맛나고 신기한 과일을 먹고 나무 그늘에서 뽑은
밤이고 낮이고 여름에 풍성히 자란
꽃으로 짠 옷도 입었던 거 기억하지?
그런데 대낮에도 늘
지니는 그리워하면서 야위워 갔어
밤낮으로 고블린을 찾아다녔지만,
더는 찾지 못했어, 그런데 몸은 점점 야위고 머리는
하얘졌지,
그리곤 첫눈이 오는 날 쓰러지고 말았지,
지금까지도 풀이 전혀 자라지 않는 거 알 거야
지니가 몸져누운 거기에 말야

작년에 언니가 데이지를 좀 심었는데

한 송이의 꽃도 나지 않았단 말야.

그러니까 로라 넌 그렇게 돌아다니면 안 돼."

"아냐, 그만해," 로라가 말했습니다

"괜찮아, 쉿, 언니

나 정말 배부르게 먹고 또 먹었다니까,

내 입엔 아직도 그 과즙이 있다니까

내일 밤에 난 나갈 거야

과일을 더 사서 먹을 거야" 그리곤 리지에게 키스했답니다.

"언니와 함께 먹지 못해 나 좀 우울했어

내일은 내가 자두를 가져다줄게

자두나무 큰 가지에서 딴 싱싱한 걸로,

따기 딱 좋은 체리도

언니는 상상도 못 할 거야

내 이빨이 만난 무화과가 어떤 맛이었을지,

얼음처럼 시원한 멜론이라니

금 쟁반에 쌓여있었다니까

내가 들기에 너무 컸다니까,

벨벳같이 보드란 솜털 가진 복숭아라니,

씨 하나 없는 맑고 투명한 포도라니

분명 좋은 냄새 가득한 꿀밭 어딘가일 거야

그런 과일이 자라는 곳은, 또 그런 과일이 마시는 물도 정말 깨끗하겠지,

강가 끝에서 자라는 백합도 같이 있겠지,

그러니 설탕처럼 달콤한 수액을 내는 걸 테고."

금빛 머리칼에 금빛 머리칼,

한 둥지에 서로서로 날개를 포갠

두 마리의 비둘기처럼,

리지와 로라는 커튼 내려진 침실에 누웠답니다

한 줄기에서 피어난 두 송이 꽃처럼,

막 내리기 시작한 눈의 두 눈송이처럼,

위대한 왕들을 위해

상아로 만들고 그 끝을 금으로 덮은 두 지팡이처럼.

달과 별은 두 자매를 가만히 바라보았습니다,

바람은 달과 별에게 자장가를 불러 주었답니다,
느릿느릿 올빼미는 나는 걸 참았습니다,
한 마리 박쥐조차 앞뒤로 파닥거리지 않았지요
두 자매가 잠든 주변은 그랬습니다
볼과 볼 그리고 가슴과 가슴
둘은 그렇게 맞닿은 채 꼭 껴안고서 한 둥지에 잠들었습니다.

이른 아침
첫 꼬끼오 닭 울음소리가 경고하듯 울려 퍼질 때,
귀엽고 분주한 그래서 아기자기한 벌처럼,
로라는 리지와 함께 잠에서 깼답니다
꿀을 모으고, 젖소 우유를 짜고,
온 집을 환기하고 정돈하고,
새하얀 밀가루로 케이크를 반죽하고,
다음엔 버터를 휘젓고, 크림 거품을 내고,
닭, 오리, 거위에게 먹이를 주고, 앉아 바느질했지요
수수한 소녀들이 나눌 만한 이야기도 했답니다.

리지는 오늘 하루에 마음이 열려 있었지만,

로라는 멍하니 마음속 무언가를 그리는 꿈속에 있었습니다,

한 명은 행복했지만, 한 명은 어딘가 아파 불행하듯,

한 명은 맑고 밝은 날에 기뻐하며 생기발랄 재잘거렸지만,

한 명은 밤이 오기만을 간절히 기다렸답니다.

드디어 서서히 저녁이 다가왔습니다

두 자매는 물 항아리를 가지고 갈대가 우거진 개울로 향했지요

리지는 몹시 차분한 모습이었지만,

로라는 마구 피어오르는 불꽃 같았습니다.

두 자매는 개울가 깊은 곳에서 콸콸 나오는 물을 받았어요

리지는 보라색 깃발과 진한 금색 깃발을 뽑고는,

집 방향으로 몸을 돌리고는 말했습니다: "저 멀리 높은 곳 큰 바위에

저녁놀이 빨갛게 빛나는구나

어서 와, 로라, 물 길으러 온 아이들도 이젠 아무도 없어

제멋대로인 다람쥐도 이젠 한 마리도 꼬리를 흔들며 돌아다니지 않아,

짐승도 새도 깊이 잠든 거야."

그렇지만 로라는 여전히 골풀 사이를 어정거렸답니다

그러면서 둑이 너무 높고 가파르다고 말할 뿐이었지요.

그리곤 아직 시간이 그렇게 늦은 건 아니라고 말했습니다,

이슬이 떨어지지도, 바람이 차지도 않다고

언제나 귀에서 맴돌지만, 좀처럼 잡히지 않는

그 익숙한 외침,

"사러 와요, 사러 와요,"

듣기 좋은 딸랑딸랑 소리와 함께 반복되는

설탕 바른 미끼 같은 말

아무리 여기저기 쳐다보아도 로라는

고블린 하나 찾아내지 못했습니다

경주하거나, 빙글빙글 돌거나, 재주 넘거나, 비틀비틀 걷기도 하는

제발 그 무리가 나타난다면

협곡 사이로 터벅터벅 걸어 다니던,

모여서나 혼자서나,

그 맛깔나는 과일 파는 고블린들만 있다면.

리지는 재촉했어요: "오, 로라, 어서 와

고블린이 과일 사라고 부르는 소리가 들리잖니, 난 볼 엄두가 나지 않아

이 개울가에서 더는 어정거리면 안 돼

어서 나와 집으로 가자.

별이 뜨고, 달이 자기 활을 구부리잖니,

반딧불이 하나하나 반짝반짝 빛을 내잖니,

밤이 더 깊어지기 전에 어서 집으로 돌아가자

구름이 어둑어둑 모이기라도 하면

맑은 여름 날씨라도 말야,

빛은 사라지고 우리는 흠뻑 젖게 될 거야

그래서 길을 잃으면 우린 정말 어떻게 하니?"

로라는 차가운 돌처럼 굳었답니다

그 소리를 혼자 들은 언니를 찾으면서,

그 고블린의 외침,

"우리 과일을 사러 와요, 사러 와요."

그 탐스러운 과일을 더는 살 수 없게 되는 건가?

그 과즙 넘치는 먹을거리를 더는 찾을 수 없는 건가,

귀는 먹고 눈이 멀어서?

로라의 생명나무는 뿌리부터 처졌습니다

로라는 마음이 몹시 쓰렸지만 아무말도 하지 않았어요

어스레한 주변을 주의 깊게 보았지만, 아무것도 분간할 수 없었어요,

터덜터덜 걸어 집에 도착했지요, 물병에 담긴 물을 오는 길 내내 흘리면서

침대로 기어들어가, 가만히 누웠습니다

조용히 리지가 잠들 때까지

그리곤 애타게 보고 싶은 마음으로 잠들지 못했습니다,

빼앗긴 무언가를 간절히 바라는 마음에 이를 갈며, 울었지요

마치 자기 마음이 무너져 내리기라도 하듯.

날이면 날마다, 밤이면 밤마다,

로라는 하릴없이 지켜볼 뿐이었습니다,

끔찍한 고통으로 침울한 침묵 속에서.

다시는 그 고블린의 외침을 듣지 못했어요:

“사러 와요, 사러 와요”

다시는 엿볼 수 없었지요 그 고블린 무리를

협곡 사이 돌아다니며 과일을 파는

그러더니 정오가 되어 날이 활짝 밝자

로라의 머리칼은 얇아지고 회색빛으로 물들어 갔답니다

점점 작아졌습니다, 마치 고운 보름달이

빠르게 빛을 잃고, 모두 타 버려 사라지듯
그녀 안에서 빛나던 불꽃이.

어느 날 로라는 자기가 모은 단단한 과일 씨를 기억해 냈습니다
남향 벽 옆에 놓은 씨를요
눈물로 그 씨를 적시고, 뿌리 내리길 바라면서,
때가 차 싹이 트길 지켜보았지만,
아무것도 나오지 않았답니다
그 씨는 태양 빛을 쬔 적도 없고,
그 씨는 살며시 흐르는 이슬을 느낀 적도 없었으니까요
푹 꺼진 눈과 빛바랜 입으로
로라는 멜론을 꿈꾸었건만, 마치 한 여행자가
메마른 사막에서 가짜 물이 넘실거리는 걸
또 물 머금은 널따란 잎을 가진 나무들이 만든 그늘을 보지만,
다만 모래바람 속에서 목이 점점 더 타들어 가듯이요.

로라는 빗자루로 더는 집안을 쓸지 않았답니다,
닭, 오리, 거위나 젖소를 돌보지도 않았습니다,
꿀을 따는 것도, 밀가루로 케이크를 반죽하는 것도,
개울가에서 물을 길어 오는 것도 하지 않았지요
벽난로 가까이에 그저 힘없이 앉아 있을 뿐이었어요
그리고 아무것도 먹으려 하지 않았습니다.

로라를 아끼는 리지는 견딜 수 없었어요
동생이 자신을 보살피지 않고 메말라 가는 걸 보면서도,
그 고통을 함께 나누지 못했으니까요.
리지에겐 밤낮으로
고블린 무리의 외침이 들렸습니다:
"사러 와요 우리 과수원에서 딴 과일,
사러 와요, 사러 와요."
개울가 근처에서, 협곡 사이에서,
리지는 고블린 무리가 터벅터벅 걷는 소리를 들었

지요,

고블린의 목소리와 그들이 내는 동요動搖

불쌍한 로라는 더는 들을 수 없건만

동생에게 위안이 될 과일을 몹시 사고 싶어졌어요,

하지만 너무 비싸 살 엄두가 나지 않았지요.

리지는 무덤에 있는 지니를 떠올렸습니다,

지금쯤이면 누군가의 신부가 되었을지도 모를

신부의 희망을 품고 기쁨을 누렸을

지니는 병들어 세상을 떠났습니다

그녀의 화사한 한창때에,

이른 겨울철에,

반짝거리는 첫서리와 함께,

상쾌한 겨울날 내리는 첫눈과 함께.

로라는, 너무 야윈 나머지,

죽음의 문을 두드리는 사람처럼 보일 정도가 되었습니다

그러자 리지는 더는 재지 않기로 했습니다

뭐가 좋을지 나쁠지,

그리곤 은화 동전 한 닢을 지갑에 넣고,

로라에게 키스하고는, 가시금작화로 덤불이 무성한 들판을 건넜답니다

땅거미가 지자, 개울가 근처에 멈췄어요

그리곤 태어나 처음으로

고블린 무리를 직접 보고 듣기 시작했어요.

고블린 모두 소리 내 웃었습니다

리지가 자기들을 엿보는 걸 힐끔거리면서

그녀 쪽으로 다가왔지요, 비틀비틀,

나는 듯이, 달리듯이, 깡충깡충,

헐떡거리면서, 숨을 내쉬면서,

빙그레 웃으면서, 박수 치면서, 꼬끼오하면서,

꼬꼬댁하면서, 고르륵고르륵 소리 내며,

얼굴을 찌푸리며,

거드름 잔뜩 피우면서,

묘하게 일그러뜨린 얼굴을 잡아당기기도 하면서,

살짝 찡그린 표정으로,

고양이처럼 또는 쥐처럼,

벌꿀오소리 또 웜뱃처럼,

서두르는 달팽이 걸음으로,

앵무새 소리로 또 피리 소리 내는 새처럼,

허둥지둥, 허겁지겁,

맥파이같이 재잘거리면서,

비둘기같이 파닥이면서,

팔딱팔딱 날아오르는 물고기처럼 다가와,

리지를 껴안고 입 맞추었습니다

꼬집기도 하고 쓰다듬기도 했습니다

가져온 과일을 리지 앞에 펼쳐 보였답니다,

짐 바구니와 접시에 담긴:

"우리 사과를 좀 보려무나,

빨갛고 진한 갈색빛이 나는,

우리 체리도 한번 맛을 봐,

우리 복숭아 좀 깨물어 봐,

시트론도 있고 대추도 있고,

네가 원한다면 포도도 있고,

울긋불긋 배도 있지

밖에서 햇살 담뿍 받은,

자두나무 가지에 열매가 주렁주렁,

따서 과즙을 맛보면 되지,

석류도 무화과도 말이야."

"안녕하세요 여러분," 리지는 인사했어요,

지니의 일을 되새기며,

"나한테 과일 좀 많이 주세요"

앞치마를 펼치고,

고블린 무리에게 동전을 던지며 리지가 말했습니다.

"그럴 게 아니라, 우리와 같이 좀 앉으려무나,

우리와 함께 먹으면서 자리를 빛내주면 좋겠구나,"

빙그레 웃으면서 고블린 무리가 말했답니다:

"우리 잔치는 이제 막 시작했단다.

밤은 아직 이르잖니,

여전히 따뜻하고 이슬은 진주처럼 반짝이잖니,

아직 졸리지도 않고 별이 총총 떠 있잖니

우리가 가져온 이 과일은 말야

어느 과일 장수도 팔지 않는 거란다

과일 표면에 드리운 뽀얀 껍질의 반이 곧 사라질 텐데,

과일이 머금은 이슬 반이 곧 말라버릴 텐데,

과일이 품은 맛 반이 곧 지나가 버릴 텐데.

자 앉아서 우리랑 잔치를 벌이자꾸나,

자 우리 반가운 손님이 되려무나,

자 먹고 즐기며 우리와 쉬다 가려무나."

"고마워요," 리지가 대답했지요 "그런데 누가 기다리고 있답니다

집에서 혼자 내가 오기만을

그러니까, 흥정은 이제 그만하고,

여러분이 파는 과일을 조금도

저한테 팔고 싶지 않으시면요,

제게 돌려주세요

과일값으로 여러분에게 던진 동전 말이에요."

고블린 무리는 머리털 없는 정수리를 긁기 시작했습

니다,

더는 꼬리를 흔들지도, 가르랑거리지도 않더니,

당연히 그렇게 할 수는 없다는 듯이,

끙 앓는 소리를 내면서 으르렁거렸답니다.

고블린 하나는 리지가 건방지다고,

고집불통이라고, 예의를 모른다고 했습니다

고블린 무리의 목소리는 차츰 커졌고,

고블린 무리의 모습은 몹시 무서워졌습니다.

꼬리를 휙휙 흔들어 대며

고블린 무리는 발로 밟고 떠밀었답니다 리지를,

또 팔꿈치로 치고 마구 밀쳤답니다 리지를,

손톱으로 할퀴기도 했어요,

빽빽, 캬옹캬옹, 쉬익쉬익, 조롱하면서,

리지의 긴 옷을 찢는가 하면 양말을 더럽히기도 하고,

리지의 머리를 머리끝부터 홱 잡아당겼습니다,

리지의 연약한 발을 내리찧기도 했답니다,

리지의 손을 붙잡고는 과일을 쥐여주고 과즙을 짜게

만들더니

억지로 먹이려고 그녀 입에 갖다 댔습니다.

리지는 그저 서 있었답니다 새하얀 그리고 화사한,
홍수에 휩쓸린 백합 한 송이처럼,
파랗고 얇은 줄이 간 바위처럼
정신없이 쏟아지는 파도에 부딪히는,
홀로 남겨진 봉화烽火처럼
세차게 울부짖는 바다 한 가운데서,
금빛 불꽃을 쏘아 올리는,
열매 가득한 오렌지 나무처럼
꿀처럼 달콤한 하이얀 꽃 피우니
말벌과 벌이 따갑도록 괴롭히는,
한 번도 침략받지 않은 왕도王都처럼
금박을 얹고 입힌 돔dome과 첨탑으로 빛나는
적 함대가 꼼짝없이 포위하고
미친 듯이 도시에 올려진 깃발을 끌어 내리려는.

물가로 말을 데려갔지만,

스무 명이 나서도 말에게 억지로는 물을 마시게 할 수 없는 모습이었답니다.

고블린은 리지를 손바닥으로 살짝 때리기도 툭툭 치기도 했지만,

구슬리기도 하고 따지기도 했지만,

협박하기도 하고 애원하기도 했지만,

할퀴기도 하고 잉크처럼 까맣게 될 때까지 꼬집기도 했지만,

발로 차고 세게 때리기도 했지만,

막 욕을 하며 놀려대고 비웃기도 했지만,

리지는 말 한 번 하지 않았습니다

고블린들은 리지의 앙다문 양 입술을 열 수 없을 것만 같았어요

억지로 과일 한 입을 밀어 넣지 않고서는

그러더니 마음속으로 웃었답니다

리지의 온 얼굴에 시럽처럼 흐르는 과즙이 뚝뚝 떨어지는 걸,

리지의 두 보조개가 과즙으로 채워지는 걸,

리지의 목에 커드curd가 녹은 것처럼 과즙이 줄줄이 묻어 있는 걸 느끼게 할 생각에.

이 사악한 무리는 마침내,

리지의 저항에 완전히 지쳐버렸습니다,

동전을 휙 던져 그녀에게 돌려주더니, 자기들이 가져온 과일을 발로 차면서

어딘지도 모를 왔던 길로 돌아가 버렸답니다,

뿌리도 씨도 싹도 하나도 남김없이.

어떤 녀석은 온몸을 비틀며 땅속으로 들어갔고,

어떤 녀석은 개울가로 뛰어들었어요

동그란 잔물결을 일으키며,

어떤 녀석은 돌풍을 일으키며 소리 없이 없어졌고,

어떤 녀석은 저 멀리 자취를 감췄습니다.

욱신거리고, 쓰리고, 얼얼한 채로,

리지는 발을 옮겼습니다

알 수 없었어요 밤인지 낮인지

둑에 훌쩍 올라, 가시금작화 덤불을 꺾으면서 사이

사이로,

풀숲과 깊고 좁은 골짜기 요리조리 돌아다녔지요,

동전 딸랑거리는 소리를 들으면서요

그녀의 지갑 안에서 어지럽게 부딪히는,

그 부딪히는 소리가 리지에겐 음악처럼 들렸습니다.

리지는 뛰고 또 뛰었어요

두려운 나머지

마치 욕설과 저주를 퍼부으며

아니면 그보다 더한 것이라도 하며 바싹 따라오는 어떤 고블린이 있기라도 한 듯

그러나 종종걸음으로 그녀를 따라오는 고블린은 한 녀석도 없었습니다,

두려움에 신경을 곤두서게 하는 것도 전혀 없었답니다

그제야 리지는 명랑한 마음으로 바람처럼 움직였어요

숨이 너무 찰 정도로 어찌나 서둘렀는지 몰라요

그리곤 속으론 크게 웃었답니다.

정원에 다다라 리지가 소리쳤습니다 "로라,"

"언니 보고 싶지 않았니?

어서 와서 내 볼에 키스해주렴.

내 몸에 난 멍은 신경 쓰지마,

나를 안아주렴, 입 맞춰주렴, 내 얼굴에 묻은 주스를 마시렴

너를 위해 고블린의 과일에서 짜 온 걸 말야,

걸쭉한 고블린 과일즙 이슬처럼 신선한 고블린 과일즙을.

나에게서 먹으렴, 나에게서 마시렴, 나를 사랑해주렴*

로라야, 내게서 마음껏 가져가렴

오직 널 위해서 언니가 그 협곡까지 용기를 냈단다

그리고 고블린 과일 장수들과 할 일을 하고 왔단다."

* "Eat me, drink me, love me". 리지는 여기서 미사Missa 또는 성찬식에서 자기 살(빵)과 피(포도주)를 내어 주는 예수 그리스도처럼 말하고 있다. 사실 "나를 먹으렴, 나를 마시렴, 나를 사랑해주렴"이 더 정확하다. 그리스도교인이 예수의 살과 피를 먹고 사랑으로 그와 하나 되어 몸과 영혼이 정화돼 듯purged, 로라도 리지의 사랑과 희생으로 얻은 과즙을 먹고 몸과 영혼이 정화된다.

로라는 의자에서 일어나,

팔을 활짝 벌려 리지 팔에 안겨,

언니의 머리칼을 움켜잡았습니다:

“리지, 리지, 맛을 본 거야

나를 위해서 그 금지된 과일 맛을?

언니의 빛은 내 것처럼 가려질 텐데,

언니의 활기는 내 것처럼 쇠할 텐데,

언니도 일을 망칠 텐데 내가 그랬듯이

또 파국을 맞을 텐데 내가 그랬듯이,

목마르고, 메말라, 고블린에게 시달릴 텐데?”

로라는 언니에게 매달렸어요,

언니 볼에 키스하고 키스하고 또 키스했어요

눈물이 그렁그렁

로라의 퀭한 눈에 다시 생기가 돌았습니다,

빗방울이 뚝뚝 떨어지듯

기나긴 무더위와 가뭄 끝에 만난

오슬오슬 두려움과 고통에 몸을 떨며,

로라는 리지를 굶주린 입으로 입 맞추고 또 입 맞추었지요.

로라의 입술은 누렇게 타들어 가기 시작했습니다,
그 과즙이 그녀 입에 쓴 쑥이 되었어요,
그러자 이 모든 과일 잔치가 싫고 미웠습니다
귀신 들린 사람처럼 로라는 몸을 비틀고 뛰어오르며 노래했어요,
잠옷 위에 입은 가운을 온통 찢어발겼고,
비통悲痛 가득 양손을 비틀며,
가슴을 두들겼지요.
로라의 머리칼은 바람에 마구 흔들리는 횃불 같았습니다
달리기 선수가 전속력으로 달릴 때 들고 있는,
아니, 세차게 달리는 말의 갈기 같기도,
아니, 독수리 같기도
빛을 거슬러 태양을 향해 곧장 날아드는,
아니, 우리에서 자유를 찾은 어떤 동물 같기도,

아니, 군대가 행진할 때 휘날리는 깃발 같기도 했답니다.

재빠른 불길이 로라의 혈관을 타고 퍼져 나가더니, 심장을 두드렸어요,
거기서 여전히 불타던 불씨를 만나
그 조그마한 불꽃을 압도했습니다
로라는 이름 모를 쓴맛에 온통 휩싸였습니다
아! 바보로구나, 그런 걸
영혼 삼키는 걱정거리를 선택하다니!
그 치명적인 혼란 속에서 감각은 기능을 완전히 잃어버렸네
마치 어느 도시의 감시탑 같구나
지진으로 산산이 부서진,
마치 벼락 맞은 돛대 같구나,
마치 바람에 뿌리째 뽑힌 나무 같구나
휙 꺾인,
마치 물거품 가득한 물기둥 같구나

바다를 향해 내리 곤두박질치는,
결국 로라는 쓰러졌네
즐거움도 가고 괴로움도 갔네,
죽음인가 아니면 삶인가?

죽음을 벗어난 생명이 거기 있었습니다.
그날 밤 내내 리지는 로라 곁을 지켰답니다,
동생의 희박한 맥박을 세면서,
로라의 숨결을 느끼면서,
동생 입술에 물을 대주고, 얼굴을 식혀 주었답니다
흐르는 눈물로 또 나뭇잎으로 부채질하면서
그러다 두 자매의 처마에 날아든 첫 새가 짹짹거릴 때,
이른 아침 수확하려고 낫을 든 일꾼들이 터벅터벅
금빛 밀단이 있는 곳으로 걸어갈 때,
그리고 이슬 머금은 풀이
한껏 상쾌하게 부는 아침 바람에 고개 숙여 인사 할 때,
그리고 새날 새 꽃봉오리가
개울가 찻잔 모양 백합에서 피어나자,

로라는 꿈에서 깬 듯 일어났습니다,

예전처럼 해맑게 웃으면서,

그러곤 리지를 두 번이고 세 번이고 힘껏 껴안았답니다

이제 로라의 머리칼에선 한 올의 회색빛도 볼 수 없었습니다,

그녀의 숨결은 맑은 날 5월처럼 향기롭고,

그녀의 눈 속에선 빛이 춤을 추었지요.

며칠, 몇 주, 몇 달, 몇 년

그렇게 시간이 지나고, 두 자매는 누군가의 어엿한 아내가 되어 있었답니다

각자 아이를 키우는

어머니의 마음을 품은 둘은 옛일을 떠올리자 두려움에 시달렸어요,

이제 둘은 각자의 애정 어린 삶을 꾸려 나가야 했기에

로라는 아이들을 불러 모아

엄마의 어린 시절 한창때 이야기를 해주려고 합니다,

지나간 지 오래된 즐거운 나날

다시는 돌아오지 않을 그때 이야기를요

고블린이 나타났다 사라지는 협곡에 관해 이야기할 거랍니다,

그 못된 도깨비들, 진기한 과일을 파는 장사꾼들,

목구멍엔 꿀처럼 달지만,

피에 들어가면 온통 독인 고블린이 파는 과일

(어느 누구도 어디에서도 팔지 않는 그런 과일)

아이들에게 말해 줄 거랍니다,

이모가 엄마를 위해 무시무시한 상황에 어떻게 맞섰는지,

또 먹으면 불타는 듯한 해독제를 어떻게 전해 주었는지를

그리곤 아이들의 작은 손을 맞잡고

서로 늘 붙어 지내야 한다고 말해 줄 거랍니다,

"어떤 친구도 언니와 비교할 순 없단다,

평온한 날이나 세찬 비바람 몰아치는 날이나,

끈덕지게 힘을 북돋아 주고,

길을 잃으면 찾아 데려오고,

비틀거려 쓰러지면 일으켜 세워주고,

제대로 서 있을 땐 튼튼하게 해주는."

꿈에 그리던 땅

햇볕이 들지 않는 강이 눈물로 울면서
물결이 저 깊은 바다로 흘러가는 곳에서,
그녀는 홀린 듯 잠에 빠져드는데
도무지 깨지를 않네요.
단 하나의 별에 이끌려,
그녀는 왔답니다 저 멀리서
찾기 위해 환영만이
그녀의 즐거운 몫이 될 땅을.

그녀는 떠났어요 울긋불긋 빛나는 아침을,
그녀는 떠났지요 곡식 가득한 들판을,
차갑고 쓸쓸한 황혼을 찾아
샘솟는 물을 찾아 떠나왔지요.
잠든 사이, 베일 사이로 보듯,

그녀는 봅니다 뿌연 하늘을,

또 듣습니다 나이팅게일을

 구슬피 지저귀는.

안식, 안식, 완전한 안식

그녀 이마와 가슴에 드리우네

얼굴은 서쪽을 향하네,

 보랏빛 땅을 바라보며.

그녀는 불 수 없겠지 곡식을

언덕과 평원에서 익어가는

그녀는 느낄 수 없겠지 빗방울을

 자기 손에 떨어지는.

안식, 안식, 영원히

이끼로 뒤덮인 해안가에서

안식, 안식 마음 깊은 곳에서

 시간이 그칠 때까지

잠 어떤 고통도 깨울 수 없는,

밤 어떤 아침도 밝아오지 않는,

기쁨에 휩싸일 때까지

그녀의 완전한 평안이.

내 그리운 집에서

나 죽었을 때, 내 혼은 향했지
 자주 드나들던 그 집을 찾아서
나 문을 지나, 내 친구들을 보았지
 잔치 벌이는 초록색 오렌지 나뭇가지 아래서
이 손 저 손 포도주를 너도나도 권하면서,
 자두와 복숭아의 걸쭉한 과즙도 마시고
노래하고, 장난치고, 크게 웃더라,
 사랑스레 서로서로.

나 들었지 친구들의 솔직한 담소를
 한 녀석이 말하길: "내일 말야
우리는 터벅터벅 터벅터벅 새로울 것 하나 없는 모래 사이로 걸을 테지,
 또 해안선을 따라 한없이 항해할 거란 말야."

한 녀석이 말하기는: "바닷물의 흐름이 바뀌기 전에
우리는 저 높다란 곳에 다다를 거라고."
한 녀석도 말하길: "내일도 똑같을 거야
오늘처럼, 아니 훨씬 더 달콤할 거라고."

"내일은 말야," 친구들은 말했지, 희망으로 가득 차
서는,
그 상상만 해도 즐거운 여정을 곱씹으면서:
"내일은 말야," 친구들은 외쳤지, 모두 함께,
아무도 어제에 관해 이야기하지 않더라.
그들의 인생은 축복으로 가득한 한낮이었지
나, 오직 나만, 사라진 거였구나:
"내일은 그리고 오늘은 말야," 친구들은 외쳤어
나는 어제에 속해 있건만.

난 쉴 곳 없어 몸서리쳤어, 그렇지만
어떤 우울한 기운도 친구들의 식탁보엔 드리우지
않았지

난, 완전히 잊혀, 몸서리쳤어,

머무르기엔 슬프고, 그렇다고 떠나가기엔 어떻게 받아들여야 할지

난 그 익숙한 방에서 떠난 거야,

난 이미 관심과 애정에서 너무 멀어진 거지,

마치 단 하루를 머문

어떤 손님을 기억하듯 그렇게.

생일

내 마음은 노래하는 새랍니다
물 머금고 새로 난 가지에 둥지를 튼
내 마음은 사과나무랍니다
열매가 튼실해 큰 나뭇가지가 고개 숙인
내 마음은 무지개 모양 경주용 배랍니다
평온한 바다에서 노를 젓는
내 마음은 이 모든 것보다 더 즐겁답니다
왜냐면 내 사랑이 내게 오거든요.

나를 올려주세요 비단과 솜털로 꾸민 단상에
자주색으로 물들인 천과 다람쥐 모피로 된 문장文章이 걸려 있는
비둘기와 석류 모양이 새겨진,
또 백 개의 눈을 가진 공작이 새겨진

금은 포도로 수 놓인,

또 나뭇잎과 은빛 플뢰르 드 리스로 수 놓인

왜냐면 내 생명이 태어난 그날이

오거든요, 내 사랑이 내게 오거든요.

기억해 줘요

나를 기억해 줘요 내가 사라지면,
저 고요한 땅속으로 멀리멀리 가버리면 말이에요
당신이 더는 내 손을 잡을 수 없고,
나 반쯤 가버려 조금도 머물 수 없게 되면.
나를 기억해 줘요 더 이상, 날이면 날마다,
당신이 짠 우리의 미래를 내게 말해 줄 수 없게 되면
말이에요
다만 나를 기억해 줘요 당신은 잘 알 거예요
이제 도움말을 주거나 기도하기엔 늦었다는 걸.
그래도 얼마간 당신이 나를 잊는다 해도
훗날에라도 기억해 줘요, 그리고 슬픔으로 마음 아
파하지 말아요
어둠에 휩싸인 내 부패한 몸이
한때 나 간직한 기억의 자취만을 남긴다면,

차라리 나를 잊고 미소 지어요

나를 기억한 채 슬퍼하지 말고.

아내가 남편에게

용서해 줘요 내 잘못을,
오래전부터 이어온 사랑을 봐서요:
안녕.
나 바다를 가로질러 떠다녀야 하죠,
나 눈 속에 파묻혀야 해요,
난 이제 죽을 테니.

당신은 이 따스한 햇볕을 쬐어도 됩니다,
당신은 술을 마시고, 맛난 음식을 먹어도 돼요:
안녕.
나 단단히 준비하고서 달려야 합니다,
아직 내 발은 준비가 되지 않았지만요:
난 이제 죽을 테니.

항해하기엔 아무것도 없는 아득한 바다로,
잠들기엔 너무나 추운 잠자리로:
안녕.
당신이 꽉 껴안는 동안, 난 떠나야 하죠
당신이 울며 눈물 흘리는 사이:
난 이제 죽을 테니.

한 친구를 위한 입맞춤,
또 한 친구를 위한 말 한마디,
안녕,
당신이 보내야만 하는 머리칼,
당신이 해야만 하는 친절:
난 이제 죽을 테니.

당신을 위해서는 말 한마디도,
머리칼도 입맞춤도 없어요,
안녕.
우리, 하나였던, 결국 둘이 되어 헤어져야만 하죠

참으로 죽음이란 이런 거군요:

난 이제 죽을 테니.

나 죽거든, 내 사랑아

나 죽거든, 내 사랑,

날 위해 슬픈 노래는 부르지 말아요

그대 내 머리맡에 장미를 심지 말아요,

그림자 드리우는 사이프러스 나무도요

다만 푸른 풀밭이 내 위에 있기를

소나기와 이슬방울로 촉촉한

그리고 그대가 원한다면, 기억해 줘요,

그리고 그대가 원한다면, 잊어 줘요.

난 그림자를 보지 못하겠지,

난 비를 느끼지 못하겠지

난 듣지 못하겠지 나이팅게일을

계속 노래하는, 마치 고통 속에 빠진 듯

그래도 꿈을 꾸면서 땅거미가 젖어 드는 사이

해가 뜨지도 지지도 않는,

어쩌면 난 기억할지도 몰라요,

네 어쩌면 난 잊을지도 모르죠.

세상

소네트

날마다 그녀는 내게 구애한다네, 은은하게, 넘치는 아름다움으로

그런데 밤새 빛나는 달이 변하듯 그녀도 모습을 바꾸는구나

끔찍한 나병에 걸린 듯 보기에 꺼림칙하고 고약한 냄새가 나더니,

머리칼은 미끄러지듯 움직이는 미묘한 뱀이로구나.

날마다 그녀는 내게 구애한다네 바깥바람 쐬러 가자고,

또 잘 익은 과일, 향기로운 꽃, 넘치는 포만감으로

그런데 밤사이, 한 마리 야수 그녀가 나를 보며 활짝 웃는구나,

도무지 사랑과 기도라곤 없는 바로 그 괴물이.

날마다 그녀는 대놓고 거짓을 말하네 밤마다 대놓고 말하지,

온갖 공포가 적나라하게 펼쳐지는 자신의 진짜 모습에 대해서,

뿔로 찌르고 손톱으로 할퀴고 손으로 옥죄면서.

진정 그녀는 친구일까 내 영혼을 그녀에게

팔아도 되는, 내 생명과 젊음을 줘도 되는,

내 발이, 또 그녀 곁을 굳게 지키면서, 지옥에 자리 잡을 때까지?

바다에 잠들다

짙은 바다의 깊이를 잽니다
근데 저 깊은 바다를 누가 잴 수 있을까요?
다림줄이 너무 짧습니다,
그래서일까요 보초 서는 사람이 잠듭니다.
애쓰는 꿈인 걸까요
가파르고 높은 어딘가 오르려 고생하는
초원에서 풀을 먹이는 꿈인 걸까요
얌전한 양 떼에게.

하이얀 형체들이 이리저리 날아다니는군요
돛대 이쪽에서 저쪽으로
그 형체들이 저 멀리 거센 폭풍을 감지합니다
이미 빠르게 가까이 다가오는
커다란 바위들이 바로 앞이군요,

널따란 모래톱은 지나지 않았지만
그 형체들은 서로를 향해 외칩니다
배가 충돌할 거라고.

오, 잔잔히 흐르는 개울 떨어지며 나는 음악이라니
언덕 사이사이에서,
또 새 둥지마다 울려 퍼지는 듣기 좋은 멜로디
저 실개천 주변에서
둥지는 그리운 집을 똑 닮았지요
사랑–해악 안에 숨겨진,
둥지는 천사 무리와 똑 닮았지요
사랑–음악으로 채워진.

그렇게 잠든 이들은 꿈을 꾸고,
각자 자신만의 꿈속에 머뭅니다
번개가 미소 짓네요
얼굴 하나하나에
배는 이리 몰리고, 저리 몰리고,

빠른 속도로 몰리는데
잠든 이들은 빙그레, 천사들은
저들이 처한 상황을 보고 몹시 슬퍼 마음 아파하는
군요.

번갯불이 번쩍이며 붉게 물들입니다
하늘 이쪽저쪽을 가로지르며
그저 해가 지는 것처럼 보이네요
저 잠든 이들 눈에는.
언제 해가 졌던가
저런 모습으로?
해가 저렇게 지면
언제 날이 밝아올까?

"일어나," 천사들이 불러보지만
저들은 귀담아듣지 않습니다
슬픔을 잊어버렸거든요
희망도 두려움도요

위험에 처한 걸 잊어버렸어요
미소도 눈물도요
꿈이 저들을 오래도록 붙잡았군요,
긴 긴 세월이 지나도록.

"일어나," 천사들이 다시 불러봅니다
이번에는 더 힘껏
큰 소리로 불러 보건만
잠든 이들에게 일어나라고.
어떤 꿈은 즐거움으로
다른 누군가를 떠올리며
어떤 꿈은, 망각 속에
평생의 아픔을 버려둔 채.

하나씩 하나씩 천천히,
아, 이 얼마나 슬프고 생기 없는 모습일까요!
울부짖고 기도하며
저 천사들이 일어나 바삐 움직이건만

흠 없이 맑은 천사들,
 하이얀, 마치 눈처럼 희건만
하얗게 질린 천사들이, 울부짖네요
 뒤집히려는 배를 보면서.

하나씩 하나씩 이리저리 돌아다니는 군요,
 애절하게 지저귀는 한 마리 새처럼
너무 지친 노래라 결국
 어떤 짝에게도 들리지 않는.
그 사랑 넘치는 목소리가 들리지 않네요,
 그건 소용없는 말
하나씩 하나씩 이리저리 돌아다니는 군요,
 멀어지는 희망에 지친 채로.

이리 몰리고 저리 몰리고,
 배가 쏜살같이 몰리는군요
돛대 이쪽에서 저쪽으로
 하이얀 형체들이 다시 이리저리 바삐 움직이지만,

조용히 스쳐 지나갈 뿐
 사람이 죽어 누워 있을 때의 침묵처럼
그들의 그림자가 돛에 드리웁니다
 마치 얼룩처럼.

잠든 이를 깨우려는 어떤 목소리도,
 잡아 깨우려는 어떤 손도 없네요
잠에 빠져 죽음으로 가는군요
 기나긴 나날이 흐르는 꿈속에서.
허무로다 허무,*
 설교자가 말한다
허무로군요
 저들이 살아 온 모든 여정의 끝은.

* 그리스도교 구약 성경의 한 권인 「코헬렛(전도서)」 1장 2절의 일부를 시에 그대로 사용했다.

아모르 문디*

"오 어디를 그리 가고 있나요,

이 골짜기 길 따라 부는 서풍에 사랑스레 땋은 머리 흩날리며?"

"내리막길은 쉬워요, 나와 함께 가요 마음 편히,

우리 오르막길을 벗어나는 거예요 절대 되돌아오지 않는 거죠."

그렇게 두 사람은 떠났습니다 눈부시게 아름다운 8월 날씨 아래,

* 라틴어 '아모르 문디'를 직역하면 'Love of the World'이다. 즉, '세상의 사랑'인데 세상은 그리스도교 신앙에서 유혹과 세속적 즐거움의 원천으로 자주 묘사되곤 한다. 따라서 '아모르 문디'는 우리말로 '세상을 향한 사랑' 또는 '세상이 주는 사랑'의 의미가 강하다. 참고로 "오르막은 어렵고 내리막은 쉽다" 역시 상징적 의미를 지닌다. (천국으로 가는 길은 어렵지만, 지옥으로 가는 길은 쉽다)

꿀처럼 달콤한 향내 뿜는 헤더가 펼쳐졌지요 왼쪽 오른쪽 어디에나

흠뻑 빠질 정도로 그녀는 사랑스러워요, 그녀의 재빠른 발은 떠다니는 듯하네요

하늘에서 다정하게 노느라 어디 앉을 새도 없는 두 마리 비둘기처럼.

"오, 저게 뭘까요 저 높은 하늘 일곱 개의 잿빛 구름 조각에 있는 건,

새까만 구름 갈라진 채 비 자락 바로 옆에 말이에요?"

"오, 저건 별똥별이네요 우리에게 보낸, 메시지예요 알아들을 수 없는, 불길한,

해독되지 않은 엄중한 징조군요 그게 도움일지 피해일지 알 수 없어요."

"오, 저게 뭘까요 미끄러지듯 빠르게 움직이는 건 보랏빛 꽃 무성하게 자란 곳에서,

진하고 메스꺼운 향기가 나는 그 꽃밭에서?" "비늘을 달고 모자를 단 듯한 머리를 가진 벌레예요."

"오, 저게 뭘까요 움푹 파진 데서, 몹시 창백한 모습으로 내 온몸을 떨게 만드는 건?"

"오, 그건 말라 비틀어진 시체예요 영원의 때를 기다리는 거지요."

"돌아와요, 오 내 소중하고 어여쁜 사랑, 돌아와요, 거짓에서 재빨리

그대가 걷는 이쪽으로 난 길이 난 두려워요 그건 바로 지옥으로 가는 길이에요."

"싫어요, 언덕은 오르기에 너무 가팔라요 싫어요, 지금까지 들인 걸 포기하기엔 너무 늦었어요

이 내리막길은 쉬워요, 그러니 돌아가는 일은 없어요."

내가 잊어야 할까?

내가 잊어야 할까 무덤 이편을?

난 아무것도 약속할 수 없어 너는 기다리며 두고 봐야 해

참을성 있게 용기 있게.

(오 내 영혼아, 그와 함께 지켜보렴 그는 나를 지켜보겠지.)

내가 잊어야 할까 낙원의 평안 속에서?

난 아무것도 약속할 수 없어 따라와, 친구야, 그리고 두고 보렴,

충실하게 지혜롭게.

(오 내 영혼아, 길을 이끌어주렴 그가 나와 함께 걷는 그 길을.)

사라지고 지나가면

사라지는구나, 세상이 말한다, 사라지는구나
기회도, 아름다움과 젊음도 날마다 쇠하는구나
그대의 생명도 절대 불변한 채 이어질 수 없구나.
눈은 점점 흐릿해지고, 검은 머리는 잿빛으로 변하는 건가
월계관도 그 관을 장식하는 잎도 얻지 못한 채?
나 봄에 곱게 단장하리라 그리고 5월엔 꽃봉오리로 그리하리라
그대는, 뿌리까지 짓눌려, 그대의 부식에서 다시 일어나지 못 하리라
내 품에서 언제까지나.
그래서 나 답했네: 그래요.

사라지는구나, 내 영혼이 말한다, 사라지는구나

두려움과 희망의 굴레도, 노동과 놀이에 얽매이는 것도 함께

과거가 눈으로 직접 보고 말하니 귀 기울여 보자

그대의 금은 녹슬고, 그대의 옷은 좀먹었구나,*

그대의 꽃봉오리는 말라비틀어지고, 그대의 잎사귀는 분명 썩어 없어지리라.

새벽에, 닭이 홰를 칠 무렵, 아침에, 어느 한 날에

하, 신랑이 지체하지 않고 오리라

그러니 그대는 경계하고 기도하라.**

그래서 나 답했네: 그래요.

사라지는구나, 내 하느님이 말한다, 사라지는구나

오랜 기다림이 끝나면 겨울이 지나가리라

포도밭에는 새 포도가, 무화과 나무에 연한 가지에

* 신약성경, 「마태오 복음서」 6장 19절에 있는 '하늘에 보물을 쌓아라'라는 예수의 메시지에 관련된 내용이다.

** 신약성경, 「마태오 복음서」 25장 1~13절에 있는 '열 처녀의 비유'와 관련된 내용이다. ("신랑이 ~기도하라.")

는 새 열매가,

바다 거북은 바다 거북을 부르리라 천상의 5월에.

비록 나 지체하더라도, 나를 기다리라, 나를 믿으라, 경계하고 기도하라.

일어나라, 이쪽으로 오라, 밤은 지나고, 하, 낮이구나,

내 사랑, 내 자매, 내 배우자, 그대는 나 말하는 걸 들으리라.

그래서 나 답했네: 그래요.

오르막

오르막 오르는 길 내내 바람이 부나요?
네, 마지막 정상까지 그렇답니다.
이 일일 여행이 하루 종일 걸릴까요?
아침부터 밤까지, 그래요 친구.

그런데 밤 동안 쉬어갈 수 있는 장소가 있나요?
천천히 어둠이 내려앉을 때면 집이 하나 나옵니다.
어둠이 내 얼굴을 가려 그 집을 못 보면 어떡하죠?
절대 그 여관을 그냥 지나칠 수 없을 겁니다.

내가 다른 여행자를 밤에 만나게 될까요?
당신이 걷는 길을 먼저 지나온 사람들일 거예요.
그럼 내가 문을 두드려야 할까요, 아님 눈에 보이면
그냥 불러야 할까요?

그 사람들은 당신을 문 앞에 선 채로 두지 않을 거예요.

내가 안락함을 찾을까요, 여독을 풀고 지친 몸을 쉬게요?

당신이 수고한 데에 따른 상을 받게 될 거랍니다.

거기서 내가 그리고 모두가 바라는 침대를 구할 수 있을까요?

그럼요, 거기에 다다른 모든 이를 위한 침대가 있습니다.

Poems

Goblin Market

Morning and evening

Maids heard the goblins cry:

"Come buy our orchard fruits,

Come buy, come buy:

Apples and quinces,

Lemons and oranges,

Plump unpecked cherries,

Melons and raspberries,

Bloom-down-cheeked peaches,

Swart-headed mulberries,

Wild free-born cranberries,

Crab-apples, dewberries,

Pine-apples, blackberries,

Apricots, strawberries;—

All ripe together

In summer weather,—

Morns that pass by,

Fair eves that fly;

Come buy, come buy:

Our grapes fresh from the vine,

Pomegranates full and fine,

Dates and sharp bullaces,

Rare pears and greengages,

Damsons and bilberries,

Taste them and try:

Currants and gooseberries,

Bright-fire-like barberries,

Figs to fill your mouth,

Citrons from the South,

Sweet to tongue and sound to eye;

Come buy, come buy."

Evening by evening

Among the brookside rushes,

Laura bowed her head to hear,

Lizzie veiled her blushes:

Crouching close together

In the cooling weather,

With clasping arms and cautioning lips,

With tingling cheeks and finger–tips.

"Lie close," Laura said,

Pricking up her golden head:

"We must not look at goblin men,

We must not buy their fruits:

Who knows upon what soil they fed

Their hungry thirsty roots?"

"Come buy," call the goblins

Hobbling down the glen.

"O," cried Lizzie, "Laura, Laura,

You should not peep at goblin men."

Lizzie covered up her eyes,

Covered close lest they should look;
Laura reared her glossy head,
And whispered like the restless brook:
"Look, Lizzie, look, Lizzie,
Down the glen tramp little men.
One hauls a basket,
One bears a plate,
One lugs a golden dish
Of many pounds' weight.
How fair the vine must grow
Whose grapes are so luscious;
How warm the wind must blow
Through those fruit bushes."
"No," said Lizzie, "no, no, no;
Their offers should not charm us,
Their evil gifts would harm us."
She thrust a dimpled finger
In each ear, shut eyes and ran:

Curious Laura chose to linger
Wondering at each merchant man.
One had a cat's face,
One whisked a tail,
One tramped at a rat's pace,
One crawled like a snail,
One like a wombat prowled obtuse and furry,
One like a ratel tumbled hurry-scurry.
She heard a voice like voice of doves
Cooing all together:
They sounded kind and full of loves
In the pleasant weather.

Laura stretched her gleaming neck
Like a rush-imbedded swan,
Like a lily from the beck,
Like a moonlit poplar branch,
Like a vessel at the launch

When its last restraint is gone.

Backwards up the mossy glen
Turned and trooped the goblin men,
With their shrill repeated cry,
"Come buy, come buy."
When they reached where Laura was
They stood stock still upon the moss,
Leering at each other,
Brother with queer brother;
Signalling each other,
Brother with sly brother.
One set his basket down,
One reared his plate;
One began to weave a crown
Of tendrils, leaves, and rough nuts brown
(Men sell not such in any town);
One heaved the golden weight

Of dish and fruit to offer her:

"Come buy, come buy," was still their cry.

Laura stared but did not stir,

Longed but had no money:

The whisk-tailed merchant bade her taste

In tones as smooth as honey,

The cat-faced purr'd,

The rat-paced spoke a word

Of welcome, and the snail-paced even was heard;

One parrot-voiced and jolly

Cried "Pretty Goblin" still for "Pretty Polly";—

One whistled like a bird.

But sweet-tooth Laura spoke in haste:

"Good folk, I have no coin;

To take were to purloin:

I have no copper in my purse,

I have no silver either,

And all my gold is on the furze

That shakes in windy weather

Above the rusty heather."

"You have much gold upon your head,"

They answered altogether:

"Buy from us with a golden curl."

She clipped a precious golden lock,

She dropped a tear more rare than pearl,

Then sucked their fruit globes fair or red:

Sweeter than honey from the rock,

Stronger than man-rejoicing wine,

Clearer than water flowed that juice;

She never tasted such before,

How should it cloy with length of use?

She sucked and sucked and sucked the more

Fruits which that unknown orchard bore;

She sucked until her lips were sore;

Then flung the emptied rinds away,

But gathered up one kernel stone,

And knew not was it night or day

As she turned home alone.

Lizzie met her at the gate

Full of wise upbraidings:

"Dear, you should not stay so late,

Twilight is not good for maidens;

Should not loiter in the glen

In the haunts of goblin men.

Do you not remember Jeanie,

How she met them in the moonlight,

Took their gifts both choice and many,

Ate their fruits and wore their flowers

Plucked from bowers

Where summer ripens at all hours?

But ever in the noonlight

She pined and pined away;

Sought them by night and day,

Found them no more, but dwindled and grew gray,

Then fell with the first snow,

While to this day no grass will grow

Where she lies low:

I planted daisies there a year ago

That never blow.

You should not loiter so."

"Nay, hush," said Laura:

"Nay, hush, my sister:

I ate and ate my fill,

Yet my mouth waters still;

To-morrow night I will

Buy more," —and kissed her.

"Have done with sorrow;

I'll bring you plums to-morrow

Fresh on their mother twigs,

Cherries worth getting;

You cannot think what figs

My teeth have met in,

What melons icy-cold

Piled on a dish of gold

Too huge for me to hold,

What peaches with a velvet nap,

Pellucid grapes without one seed:

Odorous indeed must be the mead

Whereon they grow, and pure the wave they drink,

With lilies at the brink,

And sugar-sweet their sap."

Golden head by golden head,

Like two pigeons in one nest

Folded in each other's wings,

They lay down in their curtained bed:

Like two blossoms on one stem,

Like two flakes of new-fallen snow,

Like two wands of ivory
Tipped with gold for awful kings.
Moon and stars gazed in at them,
Wind sang to them lullaby,
Lumbering owls forbore to fly,
Not a bat flapped to and fro
Round their rest:
Cheek to cheek and breast to breast
Locked together in one nest.

Early in the morning
When the first cock crowed his warning,
Neat like bees, as sweet and busy,
Laura rose with Lizzie:
Fetched in honey, milked the cows,
Aired and set to rights the house,
Kneaded cakes of whitest wheat,
Cakes for dainty mouths to eat,

Next churned butter, whipped up cream,

Fed their poultry, sat and sewed;

Talked as modest maidens should:

Lizzie with an open heart,

Laura in an absent dream,

One content, one sick in part;

One warbling for the mere bright day's delight,

One longing for the night.

At length slow evening came:

They went with pitchers to the reedy brook;

Lizzie most placid in her look,

Laura most like a leaping flame.

They drew the gurgling water from its deep;

Lizzie plucked purple and rich golden flags,

Then turning homeward said: "The sunset flushes

Those furthest loftiest crags;

Come, Laura, not another maiden lags,

No wilful squirrel wags,

The beasts and birds are fast asleep."

But Laura loitered still among the rushes

And said the bank was steep.

And said the hour was early still,

The dew not fallen, the wind not chill:

Listening ever, but not catching

The customary cry,

"Come buy, come buy,"

With its iterated jingle

Of sugar-baited words:

Not for all her watching

Once discerning even one goblin

Racing, whisking, tumbling, hobbling;

Let alone the herds

That used to tramp along the glen,

In groups or single,

Of brisk fruit-merchant men.

Till Lizzie urged: "O Laura, come;
I hear the fruit-call, but I dare not look:
You should not loiter longer at this brook:
Come with me home.
The stars rise, the moon bends her arc,
Each glow-worm winks her spark,
Let us get home before the night grows dark;
For clouds may gather
Though this is summer weather,
Put out the lights and drench us through;
Then if we lost our way what should we do?"

Laura turned cold as stone
To find her sister heard that cry alone,
That goblin cry,
"Come buy our fruits, come buy."

Must she then buy no more such dainty fruit?
Must she no more such succous pasture find,
Gone deaf and blind?
Her tree of life drooped from the root:
She said not one word in her heart's sore ache;
But peering thro' the dimness, naught discerning,
Trudged home, her pitcher dripping all the way;
So crept to bed, and lay
Silent till Lizzie slept;
Then sat up in a passionate yearning,
And gnashed her teeth for balked desire, and wept
As if her heart would break.

Day after day, night after night,
Laura kept watch in vain,
In sullen silence of exceeding pain.
She never caught again the goblin cry:
"Come buy, come buy";—

She never spied the goblin men

Hawking their fruits along the glen:

But when the noon waxed bright

Her hair grew thin and gray;

She dwindled, as the fair full moon doth turn

To swift decay, and burn

Her fire away.

One day remembering her kernel-stone

She set it by a wall that faced the south;

Dewed it with tears, hoped for a root,

Watched for a waxing shoot,

But there came none;

It never saw the sun,

It never felt the trickling moisture run:

While with sunk eyes and faded mouth

She dreamed of melons, as a traveller sees

False waves in desert drouth

With shade of leaf-crowned trees,

And burns the thirstier in the sandful breeze.

She no more swept the house,

Tended the fowls or cows,

Fetched honey, kneaded cakes of wheat,

Brought water from the brook:

But sat down listless in the chimney-nook

And would not eat.

Tender Lizzie could not bear

To watch her sister's cankerous care,

Yet not to share.

She night and morning

Caught the goblins' cry:

"Come buy our orchard fruits,

Come buy, come buy."

Beside the brook, along the glen,

She heard the tramp of goblin men,

The voice and stir

Poor Laura could not hear;

Longed to buy fruit to comfort her,

But feared to pay too dear.

She thought of Jeanie in her grave,

Who should have been a bride;

But who for joys brides hope to have

Fell sick and died

In her gay prime,

In earliest winter-time,

With the first glazing rime,

With the first snow-fall of crisp winter-time.

Till Laura, dwindling,

Seemed knocking at Death's door:

Then Lizzie weighed no more

Better and worse,

But put a silver penny in her purse,

Kissed Laura, crossed the heath with clumps of furze

At twilight, halted by the brook;

And for the first time in her life

Began to listen and look.

Laughed every goblin

When they spied her peeping:

Came towards her hobbling,

Flying, running, leaping,

Puffing and blowing,

Chuckling, clapping, crowing,

Clucking and gobbling,

Mopping and mowing,

Full of airs and graces,

Pulling wry faces,

Demure grimaces,

Cat-like and rat-like,

Ratel and wombat-like,

Snail-paced in a hurry,

Parrot-voiced and whistler,

Helter-skelter, hurry-skurry,

Chattering like magpies,

Fluttering like pigeons,

Gliding like fishes,—

Hugged her and kissed her;

Squeezed and caressed her;

Stretched up their dishes,

Panniers and plates:

"Look at our apples

Russet and dun,

Bob at our cherries,

Bite at our peaches,

Citrons and dates,

Grapes for the asking,

Pears red with basking

Out in the sun,

Plums on their twigs;

Pluck them and suck them,

Pomegranates, figs."

"Good folk," said Lizzie,

Mindful of Jeanie,

"Give me much and many";—

Held out her apron,

Tossed them her penny.

"Nay, take a seat with us,

Honor and eat with us,"

They answered grinning:

"Our feast is but beginning.

Night yet is early,

Warm and dew-pearly,

Wakeful and starry:

Such fruits as these

No man can carry;

Half their bloom would fly,

Half their dew would dry,

Half their flavor would pass by.

Sit down and feast with us,

Be welcome guest with us,

Cheer you and rest with us."

"Thank you," said Lizzie; "but one waits

At home alone for me:

So, without further parleying,

If you will not sell me any

Of your fruits though much and many,

Give me back my silver penny

I tossed you for a fee."

They began to scratch their pates,

No longer wagging, purring,

But visibly demurring,

Grunting and snarling.

One called her proud,

Cross–grained, uncivil;

Their tones waxed loud,

Their looks were evil.

Lashing their tails

They trod and hustled her,

Elbowed and jostled her,

Clawed with their nails,

Barking, mewing, hissing, mocking,

Tore her gown and soiled her stocking,

Twitched her hair out by the roots,

Stamped upon her tender feet,

Held her hands and squeezed their fruits

Against her mouth to make her eat.

White and golden Lizzie stood,

Like a lily in a flood,—

Like a rock of blue–veined stone

Lashed by tides obstreperously,—

Like a beacon left alone

In a hoary roaring sea,

Sending up a golden fire,—

Like a fruit-crowned orange-tree

White with blossoms honey-sweet

Sore beset by wasp and bee,—

Like a royal virgin town

Topped with gilded dome and spire

Close beleaguered by a fleet

Mad to tug her standard down.

One may lead a horse to water,

Twenty cannot make him drink.

Though the goblins cuffed and caught her,

Coaxed and fought her,

Bullied and besought her,

Scratched her, pinched her black as ink,

Kicked and knocked her,
Mauled and mocked her,
Lizzie uttered not a word;
Would not open lip from lip
Lest they should cram a mouthful in;
But laughed in heart to feel the drip
Of juice that syrupped all her face,
And lodged in dimples of her chin,
And streaked her neck which quaked like curd.
At last the evil people,
Worn out by her resistance,
Flung back her penny, kicked their fruit
Along whichever road they took,
Not leaving root or stone or shoot.
Some writhed into the ground,
Some dived into the brook
With ring and ripple,
Some scudded on the gale without a sound,

Some vanished in the distance.

In a smart, ache, tingle,
Lizzie went her way;
Knew not was it night or day;
Sprang up the bank, tore through the furze,
Threaded copse and dingle,
And heard her penny jingle
Bouncing in her purse,—
Its bounce was music to her ear.
She ran and ran
As if she feared some goblin man
Dogged her with gibe or curse
Or something worse:
But not one goblin skurried after,
Nor was she pricked by fear;
The kind heart made her windy-paced
That urged her home quite out of breath with haste

And inward laughter.

She cried "Laura," up the garden,

"Did you miss me?

Come and kiss me.

Never mind my bruises,

Hug me, kiss me, suck my juices

Squeezed from goblin fruits for you,

Goblin pulp and goblin dew.

Eat me, drink me, love me;

Laura, make much of me:

For your sake I have braved the glen

And had to do with goblin merchant men."

Laura started from her chair,

Flung her arms up in the air,

Clutched her hair:

"Lizzie, Lizzie, have you tasted

For my sake the fruit forbidden?
Must your light like mine be hidden,
Your young life like mine be wasted,
Undone in mine undoing
And ruined in my ruin,
Thirsty, cankered, goblin-ridden?"
She clung about her sister,
Kissed and kissed and kissed her:
Tears once again
Refreshed her shrunken eyes,
Dropping like rain
After long sultry drouth;
Shaking with aguish fear, and pain,
She kissed and kissed her with a hungry mouth.

Her lips began to scorch,
That juice was wormwood to her tongue,
She loathed the feast:

Writhing as one possessed she leaped and sung,
Rent all her robe, and wrung
Her hands in lamentable haste,
And beat her breast.
Her locks streamed like the torch
Borne by a racer at full speed,
Or like the mane of horses in their flight,
Or like an eagle when she stems the light
Straight toward the sun,
Or like a caged thing freed,
Or like a flying flag when armies run.

Swift fire spread through her veins, knocked at her heart,
Met the fire smouldering there
And overbore its lesser flame;
She gorged on bitterness without a name:
Ah! fool, to choose such part

Of soul—consuming care!

Sense failed in the mortal strife:

Like the watch—tower of a town

Which an earthquake shatters down,

Like a lightning—stricken mast,

Like a wind—uprooted tree

Spun about,

Like a foam—topped water—spout

Cast down headlong in the sea,

She fell at last;

Pleasure past and anguish past,

Is it death or is it life?

Life out of death.

That night long Lizzie watched by her,

Counted her pulse's flagging stir,

Felt for her breath,

Held water to her lips, and cooled her face

With tears and fanning leaves:

But when the first birds chirped about their eaves,

And early reapers plodded to the place

Of golden sheaves,

And dew-wet grass

Bowed in the morning winds so brisk to pass,

And new buds with new day

Opened of cup-like lilies on the stream,

Laura awoke as from a dream,

Laughed in the innocent old way,

Hugged Lizzie but not twice or thrice;

Her gleaming locks showed not one thread of gray,

Her breath was sweet as May,

And light danced in her eyes.

Days, weeks, months, years

Afterwards, when both were wives

With children of their own;

Their mother–hearts beset with fears,

Their lives bound up in tender lives;

Laura would call the little ones

And tell them of her early prime,

Those pleasant days long gone

Of not–returning time:

Would talk about the haunted glen,

The wicked, quaint fruit–merchant men,

Their fruits like honey to the throat,

But poison in the blood;

(Men sell not such in any town;)

Would tell them how her sister stood

In deadly peril to do her good,

And win the fiery antidote:

Then joining hands to little hands

Would bid them cling together,

"For there is no friend like a sister,

In calm or stormy weather,

To cheer one on the tedious way,

To fetch one if one goes astray,

To lift one if one totters down,

To strengthen whilst one stands."

Dream Land

Where sunless rivers weep
Their waves into the deep,
She sleeps a charmèd sleep:
  Awake her not.
Led by a single star,
She came from very far
To seek where shadows are
  Her pleasant lot.

She left the rosy morn,
She left the fields of corn,
For twilight cold and lorn
  And water springs.
Through sleep, as through a veil,

She sees the sky look pale,

And hears the nightingale

  That sadly sings.

Rest, rest, a perfect rest

Shed over brow and breast;

Her face is toward the west,

  The purple land.

She cannot see the grain

Ripening on hill and plain;

She cannot feel the rain

  Upon her hand.

Rest, rest, forevermore

Upon a mossy shore;

Rest, rest at the heart's core

  Till time shall cease:

Sleep that no pain shall wake,

Night that no morn shall break,

Till joy shall overtake

  Her perfect peace.

At Home

When I was dead, my spirit turned

To seek the much-frequented house

I passed the door, and saw my friends

Feasting beneath green orange-boughs;

From hand to hand they pushed the wine,

They sucked the pulp of plum and peach;

They sang, they jested, and they laughed,

For each was loved of each.

I listened to their honest chat:

Said one: "To-morrow we shall be

Plod plod along the featureless sands,

And coasting miles and miles of sea."

Said one: "Before the turn of tide

We will achieve the eyrie–seat."
Said one: "To–morrow shall be like
To–day, but much more sweet."

"To–morrow," said they, strong with hope,
And dwelt upon the pleasant way:
"To–morrow," cried they, one and all,
While no one spoke of yesterday.
Their life stood full at blessed noon;
I, only I, had passed away:
"To–morrow and to–day," they cried;
I was of yesterday.

I shivered comfortless, but cast
No chill across the table–cloth;
I, all–forgotten, shivered, sad
To stay, and yet to part how loth:
I passed from the familiar room,

I who from love had passed away,

Like the remembrance of a guest

That tarrieth but a day.

A Birthday

My heart is like a singing bird
  Whose nest is in a watered shoot;
My heart is like an apple-tree
  Whose boughs are bent with thick-set fruit;
My heart is like a rainbow shell
  That paddles in a halcyon sea;
My heart is gladder than all these
  Because my love is come to me.

Raise me a dais of silk and down;
  Hang it with vair and purple dyes;
Carve it in doves and pomegranates,
  And peacocks with a hundred eyes;
Work it in gold and silver grapes,

In leaves and silver fleurs-de-lys;
Because the birthday of my life
Is come, my love is come to me.

Remember

Remember me when I am gone away,
  Gone far away into the silent land;
  When you can no more hold me by the hand,
Nor I half turn to go yet turning stay.
Remember me when no more, day by day,
  You tell me of our future that you planned:
  Only remember me; you understand
It will be late to counsel then or pray.
Yet if you should forget me for a while
  And afterwards remember, do not grieve:
  For if the darkness and corruption leave
  A vestige of the thoughts that once I had,
Better by far you should forget and smile
  Than that you should remember and be sad.

Wife to Husband

Pardon the faults in me,
  For the love of years ago:
    Good bye.
I must drift across the sea,
  I must sink into the snow,
    I must die.

You can bask in this sun,
  You can drink wine, and eat:
    Good bye.
I must gird myself and run,
  Though with unready feet:
    I must die.

Blank sea to sail upon,
  Cold bed to sleep in:
    Good bye.
While you clasp, I must be gone
  For all your weeping:
    I must die.

A kiss for one friend,
  And a word for two,—
    Good bye:—
A lock that you must send,
  A kindness you must do:
    I must die.

Not a word for you,
  Not a lock or kiss,
    Good bye.
We, one, must part in two:

Verily death is this:

I must die.

When I am dead, my dearest

When I am dead, my dearest,
  Sing no sad songs for me;
Plant thou no roses at my head,
  Nor shady cypress-tree:
Be the green grass above me
  With showers and dewdrops wet;
And if thou wilt, remember,
  And if thou wilt, forget.

I shall not see the shadows,
  I shall not feel the rain;
I shall not hear the nightingale
  Sing on, as if in pain:
And dreaming through the twilight

That doth not rise nor set,
Haply I may remember,
And haply may forget.

The World

SONNET

By day she wooes me, soft, exceeding fair:
  But all night as the moon so changeth she;
  Loathsome and foul with hideous leprosy,
And subtle serpents gliding in her hair.
By day she wooes me to the outer air,
  Ripe fruits, sweet flowers, and full satiety:
  But through the night, a beast she grins at me,
A very monster void of love and prayer.
By day she stands a lie: by night she stands,
  In all the naked horror of the truth,
With pushing horns and clawed and clutching hands.
Is this a friend indeed; that I should sell
  My soul to her, give her my life and youth,
Till my feet, cloven too, take hold on hell?

Sleep at Sea

Sound the deep waters:—
  Who shall sound that deep?—
Too short the plummet,
  And the watchmen sleep.
Some dream of effort
  Up a toilsome steep;
Some dream of pasture grounds
  For harmless sheep.

White shapes flit to and fro
  From mast to mast;
They feel the distant tempest
  That nears them fast:
Great rocks are straight ahead,

Great shoals not past;
They shout to one another
Upon the blast.

O, soft the streams drop music
Between the hills,
And musical the birds' nests
Beside those rills:
The nests are types of home
Love-hidden from ills,
The nests are types of spirits
Love-music fills.

So dream the sleepers,
Each man in his place;
The lightning shows the smile
Upon each face:
The ship is driving, driving,

It drives apace:
And sleepers smile, and spirits
Bewail their case.

The lightning glares and reddens
Across the skies;
It seems but sunset
To those sleeping eyes.
When did the sun go down
On such a wise?
From such a sunset
When shall day arise?

"Wake," call the spirits:
But to heedless ears;
They have forgotten sorrows
And hopes and fears;
They have forgotten perils

And smiles and tears;
Their dream has held them long,
Long years and years.

"Wake," call the spirits again:
But it would take
A louder summons
To bid them awake.
Some dream of pleasure
For another's sake;
Some dream, forgetful
Of a lifelong ache.

One by one slowly,
Ah, how sad and slow!
Wailing and praying
The spirits rise and go:
Clear stainless spirits,

White,—as white as snow;
Pale spirits, wailing
For an overthrow.

One by one flitting,
Like a mournful bird
Whose song is tired at last
For no mate heard.
The loving voice is silent,
The useless word;
One by one flitting,
Sick with hope deferred.

Driving and driving,
The ship drives amain:
While swift from mast to mast
Shapes flit again,
Flit silent as the silence

Where men lie slain;
Their shadow cast upon the sails
Is like a stain.

No voice to call the sleepers,
No hand to raise:
They sleep to death in dreaming
Of length of days.
Vanity of vanities,
The Preacher says:
Vanity is the end
Of all their ways.

Amor Mundi

"O where are you going with your love–locks flowing,

On the west wind blowing along this valley track?"

"The downhill path is easy, come with me an it please ye,

We shall escape the uphill by never turning back."

So they two went together in glowing August weather,

The honey–breathing heather lay to their left and right;

And dear she was to doat on, her swift feet seemed to float on

The air like soft twin pigeons too sportive to alight.

"Oh, what is that in heaven where grey cloud–flakes are seven,

Where blackest clouds hang riven just at the rainy skirt?"

"Oh, that's a meteor sent us, a message dumb, portentous,

An undeciphered solemn signal of help or hurt."

"Oh, what is that glides quickly where velvet flowers grow thickly,

Their scent comes rich and sickly?"—"A scaled and hooded worm."

"Oh, what's that in the hollow, so pale I quake to follow?"

"Oh, that's a thin dead body which waits the eternal term."

"Turn again, O my sweetest,—turn again, false and fleetest:

This beaten way thou beatest I fear is hell's own track."

"Nay, too steep for hill mounting; nay, too late for cost counting:

This downhill path is easy, but there's no turning back."

Shall I Forget?

Shall I forget on this side of the grave?
I promise nothing: you must wait and see
    Patient and brave.
(O my soul, watch with him and he with me.)

Shall I forget in peace of Paradise?
I promise nothing: follow, friend, and see,
    Faithful and wise.
(O my soul, lead the way he walks with me.)

Passing Away

Passing away, saith the World, passing away:
Chances, beauty and youth sapped day by day:
Thy life never continueth in one stay.
Is the eye waxen dim, is the dark hair changing to gray
That hath won neither laurel nor bay?
I shall clothe myself in Spring and bud in May:
Thou, root-stricken, shalt not rebuild thy decay
On my bosom for aye.
Then I answered: Yea.

Passing away, saith my Soul, passing away:
With its burden of fear and hope, of labor and play;
Hearken what the past doth witness and say:

Rust in thy gold, a moth is in thine array,

A canker is in thy bud, thy leaf must decay.

At midnight, at cock-crow, at morning, one certain day

Lo, the Bridegroom shall come and shall not delay:

Watch thou and pray.

Then I answered: Yea.

Passing away, saith my God, passing away:

Winter passeth after the long delay:

New grapes on the vine, new figs on the tender spray,

Turtle calleth turtle in Heaven's May.

Though I tarry, wait for Me, trust Me, watch and pray.

Arise, come away, night is past, and lo it is day,

My love, My sister, My spouse, thou shalt hear Me say.

Then I answered: Yea.

Uphill

Does the road wind uphill all the way?
  Yes, to the very end.
Will the day's journey take the whole long day?
  From morn to night, my friend.

But is there for the night a resting-place?
  A roof for when the slow dark hours begin.
May not the darkness hide it from my face?
  You cannot miss that inn.

Shall I meet other wayfarers at night?
  Those who have gone before.
Then must I knock, or call when just in sight?
  They will not keep you standing at that door.

Shall I find comfort, travel–sore and weak?

  Of labor you shall find the sum.

Will there be beds for me and all who seek?

  Yea, beds for all who come.

단테이 게이브리얼 로세티 作(1862)

나는 크리스티나 로세티입니다*

버지니아 울프

올해(1930) 12월 5일, 크리스티나 로세티는 그녀 자신의 100주년을 기념하게 된다. 아니, 좀 더 정확하게 말하면, 우리가 크리스티나를 위해 100주년을 기념하게 될 것인데, 아마 그건 그녀를 정신적으로 적지 않게 괴롭히게 될 거다. 왜냐하면 몹시 수줍음을 타는 여성 중의 한 명이니까. 그래서 누군가 그녀에 관해 말하는 건—어차피 우리는 크리스티나에 관해 말할 테니까—분명 그녀를 많이 불편하게 할 것 같다. 그럼에도 불구

* The Common Readers, Second Series(1932), VIRGINIA WOOLF, Harcourt, Inc.에 실린 울프의 에세이 「I am Christina Rossetti」를 옮긴이가 완역한 것이다. 이 에세이는 메리 샌더스Mary F. Sandars의 책 『The Life of Christina Rossetti』(Hutchinson, 1930)에 관해 울프가 쓴 리뷰이다. 각주는 모두 옮긴이가 단 것이다.

하고, 그걸 피할 수는 없는데, 100주년이 되는 걸 막거나 바꿀 수는 없으니 말이다. 우리는 그녀에 관해 말해야만 한다. 우리는 그녀의 삶을 그리고 편지를 읽을 것이다. 우리는 그녀의 초상을 연구하고 그녀의 질병을 추측할 것이다. 즉, 그녀가 지닌 수많은 여러 가지 모습에 관해 알아보자는 말이다. 이제 크리스티나의 집필용 탁자 서랍을 달가닥달가닥 열어 보려 한다. 뭐, 대부분 서랍은 비어있을 테지만. 그녀의 전기 한 권에서 시작해 보자. 이보다 더 흥미로운 시작이 어디 있을까? 누구나 그렇게 느끼겠지만, 전기biography 읽기에는 저항할 수 없는 큰 매력이 있다. 주의 깊게 쓰인, 그래서 상당히 만족할 만한 샌더스의 책을 한 장 한 장 펼치자마자 오랜 착각이 우리를 엄습해 온다. 어떤 마법 통에 담겨 있듯 여기에 과거와 그 안에서 사는 모든 것이 신비롭게 봉인되어 있다. 우리가 해야 할 일이란 보고 듣고 또 듣고 보는 것뿐이다. 그러면 이내 작은 등장인물들은—삶이라는 큰 지평 안에서는 다소 작은 비중이기에 '작은 등장인물'이라고 한다—움직이며 말할 것이다. 그들이 움직이면, 우리는 그들이 알 리 없던 온갖 종류의 패턴으로 그들을 정리하려 한다. 왜냐하면 이 인물들은 살아 있을 때 자기들이 가고 싶은 데로 갈 수 있다고 생각했기 때문이다. 그들이 말하면, 우리는 그들에게 절대 불현듯 떠오르지 않았던 갖가지 종류의 의미를 그들이 한 말에 부여할 것이다. 왜냐하면 이 인물들은 살아 있을 때 자기들 머릿속에 떠오른 건 무엇이든 곧장 말한다고 믿었기 때문이다. 하지만 일단 여러분이 전기로 들어가 살펴보면, 모든 게 다르다.

자, 여기는 1830년 즈음 핼럼 스트리트, 포틀랜드 플레이스다. 그리고 로세티 가문이 있다. 아버지와 어머니 그리고 네 명의 조그마한 자녀로 구성된 이탈리아 출신의 한 가족이. 런던에서 인기 없는 거리에 자리 잡은 로세티 가족의 집은 가난에 시달렸다. 그래도 가난은 중요하지 않았는데, 외국인인 로세티 가족은 영국의 일반적인 중산층이 지닌 관례와 관습에 별로 개의치 않았기 때문이다. 그들은 주변 사람과 어울리지 않고 자기들이 원하는 옷차림을 하고서 이탈리아에서 망명한 사람들과 즐겁게 지냈다. 이 이탈리아 망명자 중에는 손풍금 연주자와 가르치는 일이나 글쓰기 또는 기타 잡일로 겨우 먹고사는 다른 가난한 동포가 있었다. 크리스티나는 시끌벅적 가족 그룹에서 서서히 자신을 떼어냈다. 그녀는 조용하고 원칙에 충실한 아이였기에 그건 당연한 일이었다. 자신은 글을 쓰는 운명을 타고났다고 머릿속에 이미 자신만의 사는 방식을 지녔으니. 그러나 그럴수록 크리스티나는 오빠나 언니의 뛰어난 자질을 감탄하며 바라보았다. 이제 몇몇 친구에게 둘러싸인 그녀의 모습에서 그리고 그녀의 몇 가지 특징에서 우리 이야기를 시작해 보자. 그녀는 파티라면 질색이었다. 옷은 되는대로 입고 다녔다. 크리스티나는 오빠의 친구들 그리고 세상을 개혁하려는 젊은 예술인과 시인의 작은 모임을 좋아했는데, 꽤 재미있어 했다. 비록 상당히 차분하게 즐기기는 했어도, 그녀 역시 별스럽고 유달리 재치가 뛰어났다. 또 그녀는 자아에 과몰입해 너무 진지한 사람들 놀리기를 좋아했다. 시인이 되기로 마음먹었지만, 허영심은 거의 없었으며 젊은 시인이 받을 만한 스트레스도 별로 받지 않았다. 크리스티나의 시는 마치 시 자체가 저절로 완전하게 그녀 머릿속에서 형성된 것처럼 보인다. 게다가 그녀는 자기 시를 두고 왈가왈부하는 것에 크게 걱정하지 않았는데, 그 시들이 훌륭하다는 걸 내밀한 마음속 깊이 알았기 때문이다. 또한 그녀는 감탄할 줄 아는 어마어마한 힘을 지니고 있었다. 예를 들면, 그녀의 어머니를 향한 감탄이 그것이다. 몹시 조용하면서도 매우 현명한, 정말 소박하면서도 진심 어린 어머니. 또한 그녀의 언니, 마리아를 향한 감탄 역시 그렇다. 회화나 시에는 취향이 없지만, 바로 그 이유로 일상생활에 좀 더 효율적이고 활기찬 언니. 마리아에 관한 이런 일화가 있다. 마리아는 대영 박물관에 가면 항상 미라 전시실 방문을 거절했는데, 그녀가 말하길, 최후 심판 때 부활의 날이 갑자기 밝아올 텐데, 한낱 관광객의 눈길 가운데 전시된 시체들이 불멸의 몸을 입게 되는 건 대단히 부적절하리라는 것이다. 크리스티나에게 특별한 인상을 준 감상은 아니었다. 그래도 그녀는 마리아에게 탄복한 듯하다. 물론 여기서 우리처럼 마법 통 밖에 있는 사람은 쾌활하게 웃어넘기며 즐기겠지만, 그 마법 통 안에서 온갖 열기와 물살에 노출된 크리스티나는 언니의 태도가 가장 높은 존경을 받을 만하다고 여겼다. 실은 그녀를 좀 더 가까이에서 보면, 크리스티나 로세티라는 존재 중심에 이미 씨앗의 알맹이처럼 어둡고 단단하게 형성된 무언가를 우리는 보게 될 것이다.

말할 것 없이, 그건 종교였다. 그녀가 꽤 어린 소녀였을 때부터 하느님과 영혼의 관계는 일생을 걸고 몰두할 만큼 크리스티나를 사로잡았다. 64년이라는 세월을 외부적으로는 핼럼 스트리트, 앤드슬레이 가든스, 토링턴 스퀘어에서 보냈지만, 실제로는 보이지 않는 하느님을 향해 나아가며 분투하는 영이 머무는 조금 기이한 지역에 머물렀다. 크리스티나의 경우, 이 보이지 않는 하느님은 어딘가 어두운 하느님, 어딘가 가혹한 하느님, 세상 모든 즐거움을 몹시 싫어한다고 포고한 하느님이었으리라. 극장도 질색이고, 오페라도 질색이고, 알몸도 질색이었다. 그녀의 친구 톰슨이 벌거벗은 인물을 자기 그림에 그려놓았을 때, 그녀는 크리스티나에게 그들은 요정이라고 설명해야 했다고 한다. 하지만 크리스티나는 친구의 거짓말을 꿰뚫어 보았다. 크리스티나의 삶 속 모든 것이 그녀 중심에 있는 고뇌와 강렬한 믿음의 매듭에서 퍼져 나왔다. 그녀의 믿음은 삶의 아주 작고 세세한 부분까지 통제했다. 그 믿음에 따르면, 그녀에게 체스는 나쁘지만, 휘스트와 크리비지*는 상관없었다. 또한 믿음은 그녀 마음속의 정말 엄청난 질문들에도 간섭했다. 제임스 콜린슨James Collinson이라는 젊은 화가가 있었다. 크리스티나는 그를 사랑했고 제임스도 그녀를 사랑했건만, 가톨릭 신자라는 이유로 그녀는 그를 멀리했다. 제임스가 어쩔 수 없이 잉글랜드 교회 신자가 되자 크리스티나는 그를 받아들였다. 하지만

* Whist & Cribbage: 둘 다 트럼프 카드playing cards를 사용하는 카드 게임이다. 크리비지는 크리배지라고도 한다.

제임스는 신뢰할 수 없는 사람이었던지, 흔들리던 그는 결국 로마로 다시 돌아섰다. 이 일로 크리스티나는 그와의 약혼을 취소했다. 비록 마음은 찢겼고 그 일은 아주 오랫동안 삶에 드리운 그림자가 되었지만 말이다. 많은 세월이 지나고 나면, 약혼이란 행복한 전망 자체에 기반을 두는 게 더 낫다고 생각하게 되겠지만. 찰스 케일리Charles Cayley도 크리스티나에게 청혼했다. 딴 데 정신이 팔렸는지 단정치 못한 옷차림으로 세계를 이리저리 돌아다니는 관념적이고 박식한 이 남자는 복음서를 이로쿼이Iroquois 언어로 번역했으며, 파티에 온 똑똑한 숙녀들에게 '멕시코 만류에 흥미가 있는지' 물어보는가 하면, 독한 술 안에 보존된 가시고슴도치갯지렁이* 한 마리를 크리스티나에게 선물하기도 했다. 아아, 그렇다, 그는 당연하게도 자유사상가였다. 그녀는 찰스와도 거리를 두었다. 비록 '어떤 여자도 한 남자를 이보다 더 깊이 사랑한 적이 있었겠냐마는', 그녀가 회의주의자

* Aphrodita: 영어로 sea mouse(바다 쥐)라고도 한다.

sceptic의 아내가 될 리는 없었으니 말이다. 웜뱃, 두꺼비, 땅에 사는 쥐처럼 '둔한 털북숭이'를 아주 좋아해 찰스 케일리를 '나의 눈먼 독수리, 내 특별한 두더지'라 부르던 크리스티나였지만, 두더지도, 웜뱃도, 독수리도, 그리고 케일리도 그녀의 하늘나라에 받아들여지지 않았다.

자, 아주 오랜 시간 계속 들여다보거나 들을 수도 있을 것 같다. 마법 통 안에 봉인된 과거가 주는 이상한, 또 재미나고 별난 이야깃거리에는 끝이 없으니. 그렇지만 다음을 탐험하기 위해 이 독특한 영역의 작은 틈에서 우리가 막 궁금해하던 참에 주요 인물이 끼어든다. 마치 갈대밭 안팎에서 보고 있자니 바위들을 돌고 돌면서 무의식적으로 선회하는 물고기가 갑자기 튀어 올라 부닥쳐 거울을 깨뜨리듯 말이다. 어느 티 파티에서 그런 일이 벌어진다. 어떤 이유로 크리스티나는 버츄 텝스 부인Mrs Virtue Tepps이 주최한 파티에 갔다. 무슨 일로 거기에 모였는지는 알려진 게 없지만, 아마 티 파티 형식으로 모인 자리에서 시에 관해 이것저것 별거 아닌

대화가 오갔을 것이다. 여하튼,

> “크지 않은 몸에 검은 옷을 입은 한 여인이 갑자기 앉아 있던 의자에서 일어나 방 한가운데에 섰다. 이윽고 ‘나는 크리스티나 로세티입니다I am Christina Rossetti’라고 방에 모인 사람들에게 엄숙하게 자신이 누구인지 알렸다. 그리곤 다시 자리로 돌아가 의자에 앉았다.”

이 말과 함께 거울이 깨진다. “그래요(크리스티나는 이렇게 말하는 듯하다), 나는 시인입니다. 제 100주년을 기리는 것처럼 구는 여러분은 텝스 부인의 티 파티에 모인 한가로운 사람들보다 그다지 나을 게 없군요. 퍽 시시한 이야깃거리로 아무렇게나 떠들어대고 내 집필용 탁자 서랍을 달가닥달가닥 열어 보는 여러분. 미라와 마리아의 이야기를, 그리고 이미 알만한 내 연애 이야기를 놀려대는 여러분이 여기 있으시군요. 자, 이 녹색 표지 책을 보세요. 제 시를 모은 책이죠. 값은 4실링

6펜스*랍니다. 그 책을 읽어 보세요." 그런 다음 크리스티나는 다시 자리로 돌아가 의자에 앉았다.

이토록 완고하고 일부러 비협조적인 시인들이라니! 그들이 말하길, 시poetry란 삶과 아무 관련이 없단다. 미라와 웜뱃, 핼럼 스트리트와 버스, 제임스 콜린슨과 찰스 케일리, 가시고슴도치갯지렁이와 버츄 텝스 부인, 토링턴 스퀘어와 앤드슬레이 가든스, 심지어 종교적 믿음의 예측할 수 없는 변화, 이 모든 게 시와는 아무 관련이 없으며 논외인 건 물론 불필요하고 비현실적이란다. 시는 그런 게 중요한데 말이다. 시에 조금이라도 관심이 있다면, 시가 좋은지 아니면 나쁜지, 우리가 던져야 하는 질문은 그것뿐이다. 하지만 시에 관해 이런 질문을 던지는 건 대단히 어려운 일이다. 충분한 시간이 있어야만 그럴 수 있다고 누군가 지적할 수도 있으니 말

* shilling&sixpence: 둘 다 1971년까지 영국에서 통용되던 화폐 단위이다. 1971년이 되기 전까지 20실링은 1파운드, 1실링은 12펜스였다. 6펜스는 은화 동전이었다.

이다. 사실 세상이 시작된 이래 시의 가치에 관해 제대로 이야기된 적은 거의 없다. 같은 시대를 사는 이들의 판단은 대부분 늘 틀리기 마련이다. 예를 들어, 크리스티나 로세티 시집 전부를 생각해 볼 때 편집자들은 그녀의 시 대부분을 거절했다. 그녀가 시로 얻은 연 소득은 오랫동안 10파운드 정도였다. 반면에 진 잉겔로*의 시집은—크리스티나가 냉소적으로 언급했는데—8판edition에 이르렀다. 말할 것도 없이, 크리스티나의 시에 관해 동시대 한두 명의 시인이나 한두 명의 비평가가 한 판단을 중요하게 참고해야 마땅하다. 그러나 같은 작품에서 그들 각자가 모은 듯한 서로 다른 인상은 어찌 된 것인가, 즉, 그들은 어떤 다른 기준으로 판단한단 말인가! 일례로, 스윈번**은 크리스티나의 시를 읽고 이렇게 외쳤다, "시라는 장르에서 이보다 더 눈부시고 아

* Jean Ingelow(1820~1897): 1863년에 갑작스레 명성을 얻은 영국 시인이자 소설가. 어린이를 위한 책으로도 유명했다.

** 앨저넌 스윈번Algernon Charles Swinburne(1837~1909): 라파엘전파에 참여한 영국의 시인이자 평론가.

름답게 쓰인 작품은 없었다고 난 늘 생각해 왔다" 그리고 계속해서 그녀의 'New Year Hymn'*에 관해 이렇게 말했다.

> 불에 닿은 듯 감동적이고 햇빛 속에 있는 듯 그 빛에 휩싸이니, 그 시는 하프나 오르간의 영역을 벗어나 뒤로 밀려나며 바다가 지은 음악의 화음과 규칙적인 리듬으로 음을 맞춘 안온하고 낭랑한 천상 파도의 거대한 울림이었다.

또한 세인츠버리 교수**는 자신의 방대한 학식을 가지고 「고블린 시장」을 검토하고는 아래와 같이 발표했다.

* 크리스티나의 시 「사라지고 지나가면Passing Away」을 말한다.

** George Edward Bateman Saintsbury(1845~1933): 영국의 비평가. 문학 역사가, 편집자, 교사로도 활동했으며, 와인 전문 감정가로도 유명했다. 19세기 후반에서 20세기 초반까지 가장 영향력 있는 비평가로 여겨진다.

크리스티나 로세티의 주요 시, 「고블린 시장」의 운율은 아마 우스꽝스러운 부분이 제거된 스켈턴 풍*으로 묘사하는 게 최상일 것이다. 즉, 초서**의 계승자들이 나무가 흔들리는 소리에 활용한 운율과 스펜서*** 이후 다양한 운율적 발전 과정에서 수집된 노래와 「고블린 시장」의 운율을 비교하면 말이다. 17세기 후반과

* Skeltonic: 존 스켈턴John Skelton(1463?~1529)의 시적 특징을 가진 시를 말한다. 비규칙적인 운율과 짧은 연이 특징이다. 스켈턴의 시는 종종 우스꽝스러운 시doggerel 로 여겨지기도 했다.

** 제프리 초서Geoffrey Chaucer(1342?~1400): 중세 영어를 문학적 표준어로 격상시켰다. 프랑스식 운율법을 영시에 도입하였다. '영시의 아버지'로 불린다. 『캔터베리 이야기Canterbury Tales』로 유명하다.

*** 에드먼드 스펜서Edmund Spenser(1552?~1599): 영국 문예 부흥기로 알려진 엘리자베스 1세 시대에 가장 위대한 시인으로 꼽힌다. 당시 희곡에 셰익스피어가 있었다면, 시에는 스펜서가 있었다고 할 수 있다.

18세기 초반 핀다로스 풍*의 시나 초기 세이어즈**나 후기 아널드***의 무운성rhymelessness에서 두드러진 시행의 불규칙성에 따른 동일한 경향을 이 시 여러 곳에서 찾을 수 있을 것이다.

게다가 동생 앨리스에게 쓴 편지에서 월터 롤리 교수****는 크리스티나에 관해 이렇게 말했다.

* Pindaric: 고대 그리스의 서정 시인 핀다로스 Pindaros(B. C. 518~B. C. 438)의 시적 특징을 가진 시를 말한다. 시적 재능이 뛰어나 일찍이 합창시로 명성을 얻었다. 특히 축제나 경기에서 승리한 사람을 찬양하는 노래로 당대 최고의 합창가 시인이 되었다.

** 프랭크 세이어즈Frank Sayers(1768~1817): 영국의 시인으로 형이상학적 저술로도 유명하다. 고고학과 문헌학 그리고 역사에도 큰 관심을 두고 몇몇 저술을 남겼다.

*** 매슈 아널드Matthew Arnold(1822~1888): 영국의 시인이자 평론가. 빅토리아 시대 제일의 비평가로 알려졌다. 대표적인 작품으로 『비평시론집Essays in Criticism』과 『교양과 무질서Culture and Anarchy』가 있다.

**** Sir Walter Alexander Raleigh(1861~1922): 영국의 학자이자 시인. 영문학 교수이기도 했던 그는 영문학 관련 저술가로도 활동했다.

내 생각에 그녀는 현재 최고의 시인이야… 최악인 건 뭔지 알아? 네가 순수한 물의 구성 성분에 관해 이야기하는 게 어렵듯이 정말 순수한 시에 관한 강의는 할 수 없다는 거야. 최고의 강의를 만드는 건 불순물이 섞이고 알코올에 메틸이 스며든 또 모래투성이인 시거든. 크리스티나가 내게 원하는 딱 한 가지 일이 있으니, 그건 우는 거란다, 강의가 아니라.

그러고 보니, 적어도 세 학파의 비평이 여기 있는 것 같다. 바다가 지은 음악 학파, 시행 불규칙성 학파, 비평하기보다는 울어야 한다고 말하는 학파. 이거 헷갈린다. 만일 이들을 따르면, 우리는 애쓰는 것 말고는 할 게 없을 테니까. 차라리 스스로 읽는 게 나은 거 같다. 마음과 정신을 있는 그대로 크리스티나의 시에 드러내 보이자, 그리고 불완전하고 너무 급할지언정 독서 후 얻은 충격이 무엇이든 간에 그걸 기록해 보자. 이렇게 할 경우, 아마 다음과 같이 말하게 되리라. '오, 크리스티나 로세티. 나 비록 당신의 시 여러 편을 외운다 해도 겸허하게 고백할 게 있으니, 시집 하나하나에 담긴 당신의 작품 전부를 읽은 건 아니랍니다. 당신의 궤적을 따라간 적도, 당신이 발전해 나가는 과정을 기술한 적도 없네요. 그렇지만 당신의 시 쓰는 능력이 크게 발전했다니요. 그건 정말 의심스럽습니다. 당신은 재능을 타고난instinctive 시인이잖아요. 당신은 언제나 같은 각도로 세상을 바라보았습니다. 세월도, 사람들과 나누는 정신적 교류도, 그리고 책도 당신에게 전혀 영향을 미치지 않았지요. 당신의 믿음을 흔들 여지가 있는 책이나 당신의 천성을 건드리는 사람을 당신은 주의 깊게 못 본 체했습니다. 아마 당신은 현명했겠지요. 당신의 천성은 정말 확실하고, 딱 부러지며, 강렬했지요. 바로 그 천성이 우리 귀에서 음악처럼 노래하는 시를 만들어 냈습니다. 마치 모차르트의 멜로디나 글루크의 곡조 같았지요. 저 모든 균형을 보더라도, 당신이 지은 노래는 복합적이었습니다. 당신이 하프를 튕기면, 여러 현이 다 같이 소리를 냈습니다. 천부적인 재능을 지닌 모든 이가 그렇듯, 당신은 세상의 시각적 아름다움에 관해 깊은 의식을 지녔지요. 당신의 시는 밝기에 따라 다채로운 금모래와 '향기로운 제라늄'으로 가득합니다. 당신의 눈은 쉴 새 없이 눈여겨보았지요, 골풀이 어떻게 '벨벳 머리'*를 하고 있는지, 그리고 도마뱀이 어떻게 '이상한 쇠사슬 갑옷'을 가졌는지를. 과연, 앵글로 가톨릭 신자** 크리스티나를 분명 깜짝 놀라게 했을 관능적인 라파엘 전파의 강렬함을 가지고 당신의 눈은 관찰했습니다. 하지만 당신의 뮤즈가 가진 슬픔과 불변성은 아마 그녀 덕분일 겁니다. 어마어마한 믿음의 압박이 저 작은 노래들을 한꺼번에 둘러싸고 꽉 잡고 있군요. 어쩌면 이 시들이 충실充實한 건 그 압박에 빚지고 있기 때문일지도요. 확실히 당신 시에 깔린 슬픔은 믿음이 주는 압박 덕분입니다. 당신의 하느님은 가혹한 신이었군요, 당신이 받을 천상 왕관은 가시나무로 만든 것이었

* 골풀에 핀 보랏빛 꽃을 의미한다.

** Anglo-Catholic: 옥스퍼드 운동에 지대한 영향을 받은 영국교회 신자를 말한다. 옥스퍼드 운동에 관해서는 작가 소개 참고.

고요. 당신의 눈이 아름다움을 마음껏 즐기자마자 당신의 마음은 말합니다, 아름다움이란 헛되다고 또 아름다움이란 지나갈 뿐이라고. 죽음, 망각 그리고 안식이 자신들의 검은 물결로 당신의 노래를 둘러싸는군요. 그리곤 어울리지 않게 종종걸음 소리와 웃음소리가 들려 옵니다. 어떤 동물의 타닥타닥 발소리, 그리고 목 뒷부분에서 나오는 듯한 떼까마귀의 특이한 울음소리, 또 코를 박고서 꿀꿀거리는 둔한 털북숭이 동물의 킁킁 소리가요. 당신은 어찌 됐든 순전한 성인saint은 아니었습니다. 누군가를 놀리기도, 비꼬기도 했지요. 당신은 온갖 위선 그리고 가식과 전쟁을 벌였습니다. 수수하지만, 여전히 당신은 과감한, 자신의 재능을 믿은, 그리고 당신의 이상에 확신을 가진 사람이었지요. 확고한 손으로 시구를 가지치기했고, 예리한 귀로 시구가 내는 음악을 점검했어요. 어영부영하거나 쓸데없는 또 이래도 좋고 저래도 좋은 그 어떤 것으로도 당신이 써 내려간 페이지를 방해할 순 없었습니다. 한마디로, 당신은 예술인이었던 거죠. 따라서 기분전환으로 종을 딸랑거리며 한

가로이 글을 쓸 때마저도 불처럼 타오르는 영감을 가진 내방자의 내림來臨을 위한 오솔길에 당신 손은 늘 열려 있었습니다. 그 내방자는 금세 찾아와 어떤 손도 떼어 놓지 못하게 깨지지 않는 연결성으로 당신의 시행을 융합시켜 주었습니다.

그래도 졸린 죽음으로 그득한 양귀비꽃을 가져다줘요
그리고 화환으로 꾸며 잔뜩 채운 아이비도요
그리고 달을 향해 활짝 핀 프림로즈도.

과연 참 신기합니다, 당신 말의 얼개는. 그리고 참 대단할 겁니다, 시가 만들어 내는 기적은. 앨버트 기념비가 먼지와 장식용 반짝이 조각이 되면, 머릿방에서 당신이 지은 시 몇 편이 완벽하게 균형이 유지된 채 발견될 그런 기적 말입니다. 우리 먼 후손은 노래하겠지요,

나 죽거든, 내 사랑아,

또는

내 마음은 노래하는 새랍니다.

당신의 침실 창가에서 그랬듯이 어쩌면 토링턴 스퀘어가 산호초가 되어 이런저런 물고기가 바다 안팎으로 튀어 오를 때일까요. 아니면, 숲이 보행로로 덮인 그곳을 되찾아 철책에 뒤엉켜 있을 녹색 덤불 사이로 웜뱃과 벌꿀오소리가 보드랍고 정처 없는 발을 느릿느릿 내디딜 때일지도요. 이 모든 걸 헤아리면서, 당신의 전기로 돌아가니, 나도 거기 있었습니다. 버츄 텝스 부인의 티 파티에서 약간 나이 들어 보이는 작은 체구의 검은 옷을 입은 여성이 앉아 있던 의자에서 벌떡 일어난 그때. 나는 어떤 결례를 저질렀을 게 분명합니다. 의자 주변에 놓여 있던 편지 개봉용 칼을 땅에 떨어뜨렸을지도 혹은 찻잔을 깨뜨렸을지도 모르겠습니다. 그 여성이 '나는 크리스티나 로세티입니다'라고 말한 순간, 탄복하여 알 수 없는 열정에 휩싸였으니까요.'

시스맨스Sismance
— 문학에서 영화까지

"어떤 친구도 언니와 비교할 순 없단다,
평온한 날이나 세찬 비바람 몰아치는 날이나,
끄덕지게 힘을 북돋아 주고,
길을 잃으면 찾아 데려오고,
비틀거려 쓰러지면 일으켜 세워주고,
제대로 서 있을 땐 튼튼하게 해주는."
「고블린 시장」에서.

크리스티나는 환상 동화 시 「고블린 시장」을 언니 마리아 프란체스카에게 바쳤다dedicated. 어쩌면 당연한 일이었다. 로세티 가문의 이 두 자매는 우정은 물론 그리스도교 신앙까지 깊게 나누는 사이였으니. 동생은 신앙을 위해 두 번의 결혼을 포기했고, 언니는 늦은 나이에 수녀가 되어 문학적 재능으로 교회에 봉사했다. 그러면 이 시에서 가장 주목해야 하는 부분은 두 자매의 소울메이트soulmate 같은 관계가 아닐까? '탐스럽고 먹음직스러운 신비의 과일을 파는 고블린 상인'은 세상의 유혹과 위협을, '로라'는 화려하게 보이는 세상 유혹과 위협에 빠진 한 인간의 상태를, 그리고 로라를 구하기 위해 몸소 고블린에게 맞서 동생을 구한 '리지'는 그리스도를 의미한다는 『수학의 정석』 같은 정론은 잠시 내려놓고 '자매의 우정' 혹은 '자매애'에 관해 말하고자 한다. 죽을 위기에 처한 동생을 위해 스스로 희생한 언니의 모습과 자신을 구한 언니에게 깊은 고마움을 표시한 동생이 후일 자신의 아이들에게 자매의 우정이 얼마나 중요한지 알려주는 모습에서 나는 브로맨스bromance보다 진한 시스맨스sismance를 본다.

당연히 아름다운 시스맨스에도 갈등은 존재한다. 로라는 리지의 경고를 무시하고 고블린들을 찾아갔다가

곤경에 빠졌다. 언니 리지는 로라가 가엽기도 했겠지만, 자기의 말을 무시한 동생 때문에 속상했을 게 분명하다. 오늘날 서로 못 잡아먹어서 안달이 나 있는 재미난humorous 모습의 '현실 자매' 역시 당연히 갈등을 겪는다. 갈등의 이유는 가족 내 미묘한 신경전으로 드러나는 알력 다툼일 수도 있고, 성격이나 가치관 차이일 수도 있다. 무엇보다 서로에 대한 신뢰와 사랑 덕분에 얻은 리지와 로라의 아름다운 시스맨스는 꽤 이상적ideal이다. 꿈과 상상력이 미래를 여는 중요한 열쇠라는 말처럼(어디선가 들었다), 이상적인 시스맨스를 향한 희망은 분명 현실이라는 가문 땅에 내리는 비라고 믿는다. 여기저기 멋진 시스맨스 새싹을 돋아나게 하는 단비.

이제 시스맨스를 향한 열망은 문학을 넘어 '영상과 소리로 재현된 문학'이라 할 수 있는 영화에 이르렀다. 두 자매의 시스맨스가 돋보이는 영화 세 편을 둘러보자.

먼저 제인 오스틴Jane Austen의 소설 『이성과 감성Sense and Sensibility』을 바탕으로 만들어진 영화 「센스 앤

센서빌리티」(1995)에는 각각 이성과 감성을 대변하는 두 자매 엘리너Elinor와 메리앤Marianne이 나온다. 사랑과 연애 그리고 결혼이라는 주제로 두 자매는 각자의 성향 때문에 갈등을 겪는다. 서로를 아끼지만 달라서 겪는 충돌은 어쩌면 다소 진정한 '현실 자매'의 한 모습일지도 모르겠다. 소설과 달리 두 자매의 심리 변화 묘사를 직관적으로 볼 수 있다는 점이 영화의 큰 장점이다. 엠마 톰슨Emma Thompson, 케이트 윈슬렛Kate Winslet, 휴 그랜트Hugh Grant 같은 멋진 배우들의 열연도 이 영화가 가진 특징이다.

두 번째로 「진저 스냅Ginger Snaps」(2000)을 얘기하고 싶다. B급 공포 영화라는 평을 듣는 캐나다 영화지만 무려 3편까지 제작되었다. 늑대인간이라는 공포 영화 소재로 남자가 아닌 두 사춘기 소녀를 주인공으로 삼았다는 점과 두 자매의 견해가 달라서 생기는 갈등을 입체적으로 그려냈다는 데에서 호평받았다. 언니역과 동생역을 맡은 두 배우의 연기가 뛰어났다고 한다. 철부지 같은 구석이 있지만, 지지 않는 성격이 두드러진 언니 진저Ginger와 소심해 보이지만, 사실 이성적이고 강한 의지를 지닌 동생 브리지트Brigitte는 한 살 터울로 늘 붙어 다니며 기행을 일삼는다. 나아가 얌전한 브리지트가 종종 따돌림이나 괴롭힘을 당하면, 언니인 진저가 나서서 도와주는 등 둘의 사이는 끈끈했다. 그러나 진저의 첫 생리가 시작되면서부터 자매의 사이에 묘한 신경전이 시작된다. 얼마 지나지 않아 어떤 사건을 계기로 진저가 늑대인간이 된다. 언니를 다시 사람으로 돌려놓기 위한 브리지트의 분투노력과 희생이 이 영화에서 우리가 주목해야 할 부분이다.

마지막으로 한국 영화 「장화, 홍련A Tale of Two Sisters」(2003)이 있다. 김지운 감독은 가족 사이의 죄의식과 돌이킬 수 없는 순간에 대한 두려움에 관한 이야기를 하고 싶다고 했으나, 그 주제를 드러내는 영화 중심에는 수미와 수연 자매가 있다. 모티브가 된 소설 「장화홍련전」에 두 자매 장화와 홍련이 그 중심에 있듯이. 영화는 외딴집에서 펼쳐지는 한 가족(아버지, 새엄마, 두 자매)이 겪게 되는 기담 혹은 으스스한 미스터리다. 악몽, 환영, 언뜻 알 수 없는 분위기 등이 영화의 흥미를 더한다.

이 영화에서 두 자매의 서로 아끼는 마음은 의리 넘치는 브로맨스에 절대 지지 않는 시스맨스의 원천이다. 다만 소설처럼 영화에서도 비극은 피해 갈 수 없다. 아끼던 동생 수연의 부재와 죄책감은 언니 수미가 겪는 고통의 핵심이다. 이 시스맨스의 비극적 요소는 「장화, 홍련」에서 감독이 말한 주제를 이끌어가는 중요한 장치다.

나는 영화 홍보하는 사람도 영화 헤살꾼spoiler도 아니다. 그저 크리스티나 로세티의 시에서 두드러진 두 자매의 우정에 주목했고, 오늘날에도 중요한 주제theme라는 걸 말하고 싶다. 책은 물론이고 영화에서도 시스맨스는 살아 숨 쉰다. 우리는 여전히 멋진 시스맨스를 꿈꾸고, 그 꿈을 향한 희망을 멈추지 않을 것이다. 크리스티나 로세티가 「고블린 시장」에서 그랬듯이.

에필로그

Epilogue

크리스티나의 시는 대체로 그녀의 그리스도교 신앙에 기반한다.

그러면 이 한 여성 시인의 신앙이 '문제'일까? 문학에 내재된 끝없는 상상력과 종교는 어떤 관계를 맺을 수 있을까? 버지니아 울프도 고민했고, 크리스티나의 시를 연구하는 사람들도 고민하는 부분이다.

어떤 독자에게는 그녀의 시에 담긴 종교적 상징이나 의미에도 불구하고 (비록 어떤 저항감이나 거부감이 들지라도) 시 자체가 주는 아름다움과 상상력에 빠져들 것이지만, 또 어떤 이는 그런 상징이나 의미가 시라는 장르가 가질 수 있는 더 많은 상상력과 가능성에 한계를 짓기 때문에 앞서 말한 어떤 불편한 느낌과 더불어 그녀의 작품에 회의를 느낄 수도 있다. 그러나 사실 크리스티나의 시 안에 숨겨진 그리스도교는 여느 작가의 시나 소설에 배어 있는 작가 스스로가 고수하는 또는 심취한 철학과 다르지 않다. 그 작가 역시 자신이 따르는 철학에 근거한 상징과 의미를 자기 작품 여기저기에 흩뜨려 놓기 때문이다. 무엇보다 작가가 강조하는 그 철학적 세계관은 자기 작품에 생명력을 불어넣는 원천이니까.

한 시인의 종교가 문학적 상상력과 창조성을 제한하지 않는다는 걸 알려준 예를 한 명 더 들어 보자. 라틴아메리카에서 최초로 노벨문학상을 수상한 가브리엘라 미스트랄Gabriela Mistral. 그녀는 비록 그리스도교 신앙을 바탕으로 시를 쓰지는 않았지만(그리스도교 문화에서 빌린 상징들은 등장한다), 평생 자신의 종교(가톨릭)를 열심히 유지했다. 나아가 그리스도교 덕목에도 일치하는 훌륭한 일 역시 멈추지 않았다.(어린이, 여성, 아메리카 원주민, 유대인, 전쟁 피해자, 노동자, 가난한 사람을 시 안에서 대변하는 것은 물론 전쟁고아를 돌보는 일에 힘썼다)

그러니 시 자체가 가진 아름다움, 시인이 가진 창작력, 시인으로서의 자각. 이 세 가지에 집중하자고 말하는 버지니아 울프의 초대에 이제 우리가 응할 시간이다. 그렇게 우리의 문학 세계는 더 넓어지리라 믿는다.

옮긴이의 말

Postscript

번역에는 출발어source language와 도착어target language가 있다. 이 책에서는 영어가 출발어이고 한국어가 도착어라는 걸 쉽게 알 수 있다. 번역 할 때 특히 시를 번역할 때 나는 출발어에서 글쓴이가 표현한 시어와 그 안에 담긴 의미를 탐구하고, 도착어에서 그 탐구한 결과를 풀어낸다. 탐구 과정에서는 당시 역사적 문화적 맥락과 시인의 의도에 집중하고, 풀어내는 과정에서는 어떤 단어가 또 어떤 문체style가 어울릴지에 집중한다.

크리스티나의 시에는 압운rhyme이 살아 있는데, 이를 우리말로 옮기면서 최대한 살리려고 힘썼다. 예로 '-s'와 '-s'로 끝나는 두 행에 맞춰 '-로'와 '-로' 등으로 맞추려고 했다. 또 번역된 시의 어투가 딱딱하지 않게

하려고 노력했다. 즉, 번역투의 어색함을 나름대로 탈피하고 싶었다. '-했다네' 라던가 '-하였네' 같은 말은 마치 고대 서사시를 읽는 느낌을 주기 때문이다. 어쩐지 시를 지은 사람이나 번역된 시를 읽을 사람에게 무심한 티가 난다고나 할까. 물론 필요에 따라서는 피할 수 없겠지만 말이다. 무엇보다 이 책의 주요리main dish인 「고블린 시장」은 환상 동화 시라는 데에 초점을 두고 요정fairy이나 용dragon이 등장하는 그림책을 떠올리며 번역했다. 그리고 이에 맞춰 어투를 살리는 한편, 압운도 놓치지 않으려고 분투했다.

게임이나 애니메이션에서 유난히 관심이 가지만 서사가 적어 궁금한 캐릭터가 있는데, 어쩌다가 그에 관해 알게 되었을 때 얻는 묘한 즐거움이 있다. 영미문학을 공부하다가 우연히 발견한 훌륭한 작품과 그걸 쓴 작가를 알게 되는 일, 한 작가나 작품을 접하면서 동시대나 다음 시대에 이런저런 이유로 연결되는 다른 작가와 작품을 알게 되는 일, 내가 알던 유명한 작가가 주목했거나 영향을 받았다는 다른 작가와 작품을 알게 되는 일 등이 바로 그 묘한 즐거움과 상당히 비슷하다. 문학에도 덕질이 있는 게 분명하다. 예를 들어, 빅토리아 시대 여성 문학에서 빼놓을 수 없는 작가 크리스티나 로세티가 버지니아 울프가 주목한 작가라는 걸 알게 된 일이나 아직 정확한 사정은 모르지만 「이상한 나라의 앨리스Alice in Wonderland」의 작가 루이스 캐럴Lewis Carroll이 로세티 남매의 가족사진을 찍었다는 걸 알게 된 일이 그것이다. 아, 어느 분야에서든 누군가에겐 '오홋'이지만 또 누군가에겐 '어쩌라고'가 덕질이 가진 숙명이다.

한국에 잘 알려지지 않은 혹은 이름만 잘 알려진 영미문학 작가들과 그들의 작품들을 국내에 번역해 소개하는 일은 보물찾기와 비슷하다. 번역할 작가와 작품을 찾는 일은 보물을 찾기 위해 배를 띄우는 일이고, 번역을 마치고 책으로 만드는 일은 보물을 찾아 보물섬을 떠도는 과정이다. 그리고 완성된 책이 독자의 손에서 읽힐 때 보물은 그 진정한 가치를 발하며 반짝인다. 나누면 나눌수록 진가가 발휘되는 독특한 보물의 신비이다. 이 보물찾기 여정을 별책부록과 함께해서 참 고맙고 기쁘다.

이 책이 당신의 손에서 그리고 서재에서 빛을 내는 보석함이 되기를 바란다.

스틸 클래식

Still Classics

요즘에도 영미문학 책은 많습니다. 멋진 작품으로 국내에서 유명한 작가도 제법 여럿이지요. 영미문학 고전classic이 중요한 이유는 뭘까요? 시대와 문화를 관통하는 깊은 가르침을 얻기 위해서나 위대한 작가나 사상가의 철학을 맛보기 위해서. 맞는 말이지만, 마치 책으로 공부하거나 일을 하는 느낌이 납니다. 독서는 즐거움이 동반돼야 하는 데 말이죠. 당연히 그게 다는 아니랍니다. 고전은 오늘날 유명한 작가들에게 영감을 준 작품들이기도 합니다. 예를 들면, 버지니아 울프에게 영감을 준 영미 작품들은 그 당시에 이미 고전이거나 적어도 100여 년 전의 것이 많습니다. 우리에게는 버지니아 울프도 고전이 되었지만요. 이런 점은 영화에서도 나타납니다. 아서 코난 도일의 명탐정 홈스Holmes는 BBC 시리즈 「셜록Sherlock」이나 넷플릭스 영화 「에놀라 홈스Enola Holmes」에 영감을 주었다 할 수 있지요. 지금의 작가들이 있게 한 문학적 샘물, 그게 고전인 겁니다.

나아가 영미문학 고전은 당시 예술, 인문학, 사회학, 역사 등을 포괄한 종합 선물 세트입니다. 시, 산문, 소설 등에서 사용된 상징, 지리적 정보, 사회 전반의 분위기, 계급, 계급에 따른 각기 다른 생활상, 제국주의, 사회변혁을 표방하는 다양한 운동 등을 볼 수 있습니다. 인물 묘사 혹은 배경 묘사는 간접적으로, 약간의 창작에 의한 변형을 통해 직접적으로 혹은 있는 그대로 언급하여 고전에서 앞서 열거한 다양한 정보를 얻을 수 있는 것이죠. 예를 들어 브론테 자매가 살던 시대(19세기 초중반)와 버지니아 울프(19세기 후반에서 20세기 중반)가 살던 시대를 그들의 작품으로만 비교하더라도, 각기 여성의 사회적 위치, 일상의 분위기 등이 얼마나 다른지 알 수 있습니다. 읽기 쉽지 않을 수 있지만, 그만큼 얻는 것도 많은 시간 여행이지요. 영미문학 고전이니 세계 여행이기도 하네요.

마지막으로 말로만 듣던 영미문학 고전을 읽으면 어디 가서 뽐낼 수도 있습니다. 얼마나 유쾌합니까, '야, 나도 읽어 봤어.' 게다가 말로만 듣던 작가에게 영향을 준 고전 작품을 읽었거나 책을 좋아하는 사람 사이에서 이름으로만 알려진 작가의 고전 작품을 읽었다면, 어깨에 힘이 더 들어가겠네요. '그거 알아? 내가 읽은 00이 그 유명한 XX에게 영감을 준 작품이라고.' 영미문학 고전 독서에 별책부록같이 주어지는 요긴한 덤bonus이지요.

지금도 고전은 우리에게 끊임없이 이야기를 들려줍니다. 그리고 우리는 그 끝나지 않는 이야기를 이어가고요. 여러분을 영미문학 고전의 세계로 초대합니다.

"Tolle et lege!" (책을) 들고 읽어라!

옮긴이

김군

영문학을 전공했으나, 다른 길을 찾아 여기저기 서성거리다 다시 영문학으로 돌아왔다. 번역과 글쓰기가 마음 깊이 스며들어 현재 번역 작가로 활동 중이다. 책, 예술, 번역, 글쓰기라는 동료와 함께 오늘도 내일도 인생을 탐구하는 모험을 이어가고 있다. 하늘 저편에서 부를 때까지.

브론테Brontë 자매의 시집 『POEM』에서 시를 선정해 『내가 잊은 적이 있나요』, 『그러니 울어봤자 소용없는 일』이라는 두 권의 책으로 엮어 독립출판으로 출간했다. 에밀리 디킨슨의 시를 번역하여 연재할 계획이다.

@monsieurq7

스틸 클래식 1
나는 크리스티나 로세티입니다

초판 1쇄 2023년 10월 2일 발행

지은이 크리스티나 로세티
옮긴이 김군
펴낸이 차승현
기획편집 김군 차승현
교정교열 고예빈
디자인 이민영
도움 김미래
인쇄 상지사

펴낸곳 별책부록
출판등록 제2016-000027호
주소 서울 용산구 신흥로16길 7, 1층
전화 070-4007-6690
홈페이지 byeolcheck.kr
이메일 byeolcheck@gmail.com
인스타그램 @byeolcheck

ISBN 979-11-981669-8-2 (02840)